# Les diplomates

© 2002 by les Éditions Autrement, 17, rue du Louvre, 75001 Paris.
Tél. : 01.40.26.06.06. Fax : 01.40.26.00.26. E-mail : www.autrement.com
ISBN : 2-7467-0197-9. ISSN : 0751-0144.
Dépôt légal : mars 2002. Imprimé en France.

# Les diplomates

## Négocier dans un monde chaotique

Dirigé par Samy Cohen

Éditions Autrement - Collection Mutations - n° 213

# Introduction :
# L'art de gérer les turbulences
# mondiales

Samy Cohen

En moins de quinze ans, le monde s'est considérablement transformé. Il s'est globalisé. Le bloc soviétique s'est effondré. Une société civile internationale a émergé. Depuis l'attaque du 11 septembre 2001 sur le World Trade Center et le Pentagone, la planète vit sous la menace d'un terrorisme de masse. À la stabilité du monde bipolaire a succédé le « nouveau désordre mondial ». Comment les diplomates s'adaptent-ils à cette nouvelle donne ? Ont-ils encore un rôle à jouer dans un monde aussi turbulent ? Ne sont-ils pas devenus « anachroniques », pour reprendre une expression de Zbigniew Brzezinski, conseiller influent du président Jimmy Carter[1] ?

Il n'en est rien. Même concurrencés par d'autres acteurs, étatiques et non étatiques, les diplomates conservent un rôle essentiel. Les contributions ici rassemblées le démontrent largement. Ce rôle est même à la hausse, pourrait-on ajouter, bien que les intéressés eux-mêmes n'en soient pas nécessairement toujours conscients. Car, loin d'affaiblir l'État et les diplomates, les nouvelles turbulences mondiales renforcent leur potentiel d'intervention sur la scène internationale. Le paradoxe n'est

---

1. *Washington Post*, 5 juillet 1983.

qu'apparent et s'efface si l'on redonne au sujet son épaisseur historique, car les diplomates retrouvent dans le monde actuel des ressources qui faisaient hier leur puissance.

## Les trois âges de la diplomatie française contemporaine

L'influence du Quai d'Orsay sous la III<sup>e</sup> République, âge d'or de la diplomatie française contemporaine, reposait sur trois principaux atouts : le monopole de l'« expertise » ; le désintérêt du pouvoir politique pour les questions internationales ; les menaces qui pesaient sur la sécurité de la France et, plus généralement, sur la paix en Europe. Philippe Berthelot et Alexis Léger, qui se succédèrent au poste de secrétaire général du Quai d'Orsay, étaient des personnages de premier plan, écoutés souvent avec « dévotion[2] ». Ils ne se contentaient pas de diriger leur administration. Ils inspiraient, pour le meilleur ou pour le pire, la politique étrangère de la France[3]. Les incertitudes liées au contexte international, marqué par la montée du fascisme et du nazisme en Europe, offraient aux responsables diplomatiques français un vaste terrain de manœuvre, la possibilité de déployer leurs capacités d'analyse et leurs talents de négociateurs, sur lesquels devait reposer la paix de l'Europe. Une erreur de leur part pouvait entraîner des conséquences dramatiques. On sait la part de responsabilité d'Alexis Léger, démis de ses fonctions en même temps que le général Gamelin pour avoir sous-estimé la menace hitlérienne.

La IV<sup>e</sup> République a largement perpétué cet état de fait. Les conditions dans lesquelles le système politique a fonctionné, le désintérêt des députés pour les réalités internationales, la faible expérience des ministres des Affaires étrangères ont laissé aux diplomates une marge de manœuvre considérable, même si elle n'atteint pas celle qu'ils avaient connue avant guerre. Car, à plusieurs reprises, ils vont se retrouver exclus du processus de décision, comme lors de la préparation du

---

2. François Seydoux, *Le Métier de diplomate*, Paris, France Empire, 1980, p. 61.
3. Samy Cohen, *La Monarchie nucléaire. Les coulisses de la politique étrangère sous la V<sup>e</sup> République*, chap. 8, Paris, Hachette, 1986.

plan Monnet de la CECA, élaboré avec le seul ministre des Affaires étrangères, Robert Schuman, ou comme lors de la préparation de l'expédition de Suez, montée en France par un pouvoir politique méfiant envers les orientations proarabes du Quai d'Orsay.

Mais c'est avec l'arrivée de De Gaulle au pouvoir, en 1958, que s'ouvre un nouvel âge du ministère des Affaires étrangères, celui du déclin brutal. Pour les militaires comme pour les diplomates, le temps de l'autonomie est révolu. Un diplomate récalcitrant est vite repéré et orienté vers une voie de garage. Le ministre lui-même est choisi non plus en fonction de calculs politiques savants reflétant les équilibres entre grands partis politiques, mais pour ses liens d'allégeance personnelle avec le président. Ce dernier le choisit et peut le révoquer à tout moment[4].

Sur les treize ministres des Affaires étrangères qui se sont succédé à la tête du Quai d'Orsay, huit sont des hauts fonctionnaires dépourvus de mandat parlementaire : Maurice Couve de Murville, Michel Jobert, Jean Sauvagnargues, Louis de Guiringaud, Jean François-Poncet, Claude Cheysson, Jean-Bernard Raimond et Hubert Védrine. Les cinq autres – Michel Debré, Maurice Schumann, Roland Dumas, Alain Juppé et Hervé de Charrette – sont des élus politiques, certes, mais davantage encore, pour la plupart d'entre eux, des « hommes du président », des fidèles éprouvés. Sous la Ve République, le ministre devient tout à la fois le principal collaborateur du chef de l'État – et du Premier ministre en période de cohabitation – et le « patron » du ministère. Mais en aucun cas il ne peut prétendre à une politique personnelle. Le Quai d'Orsay se met au service direct d'un pouvoir politique, porteur d'une vision du monde et d'un projet politique personnels. De Gaulle orchestre lui-même la politique étrangère, secondé par un brillant interprète, Maurice Couve de Murville. Il prend toutes les grandes décisions qui marqueront la politique étrangère et de défense de son septennat. Cette perte d'influence des diplomates s'accentuera avec les successeurs de De Gaulle, qui prennent de plus en plus l'habitude de négocier sans communiquer leurs informations aux services du ministère et d'utiliser des émissaires personnels choisis à l'extérieur du Quai, sans en informer nécessairement au préalable le ministre.

---

4. Les choses se compliqueront avec la cohabitation, comme chacun sait. Cf. Samy Cohen, « La diplomatie française dans la cohabitation », Esprit, juin 2000.

À ce facteur politique de déclin s'ajoute la perte du monopole de la conduite des relations extérieures de la France au profit des ministères techniques, qui progressivement développent leurs propres services internationaux et conduisent leur politique étrangère sans toujours se soucier de l'avis du Quai d'Orsay. Cette évolution, commencée bien avant le retour de De Gaulle au pouvoir, ne cessera de se renforcer. Se met ainsi en place, dans certains domaines, une « diplomatie sans diplomates ». Nombre de délégations françaises à des conférences internationales ne comprennent aucun représentant du ministère des Affaires étrangères. La direction du Trésor dispose de son propre réseau de conseillers financiers à l'étranger. En matière de commerce extérieur, la Direction des relations économiques extérieures (DREE) joue grâce à son réseau de conseillers commerciaux un rôle de premier plan dans les négociations économiques et commerciales internationales. En cas de divergences entre agents du ministère de l'Économie et des Finances et diplomates, ces derniers ont rarement les moyens d'imposer leur point de vue.

La concurrence sévère des médias dans la collecte de l'information amoindrit également le rôle exclusif que jouaient les ambassades dans ce domaine. Bien souvent, le télégramme de l'ambassadeur arrive après que la nouvelle eut été rendue publique.

Ce tableau doit être pourtant nuancé. Même amoindris, les diplomates restent des auxiliaires indispensables. Le transfert du centre de gravité du pouvoir du Quai à l'Élysée n'efface pas le ministre. Ce dernier reste l'un des principaux instruments de préparation et de mise en œuvre de la politique étrangère. Il garde, en même temps, un rôle de proposition de premier ordre. Il est le seul capable d'avoir une vision transversale des enjeux internationaux, le seul à réfléchir en termes globaux. Il aide à clarifier les enjeux et à mieux calculer les risques. Les rôles classiques d'information, d'évaluation et d'alerte qui étaient ceux des ambassades ont changé de nature, mais ils ne sont pas pour autant dévalués : « La vraie question n'est pas celle de la concurrence souvent invoquée du téléphone, de l'avion et de la télévision, note un ancien conseiller de François Mitterrand, actuellement ambassadeur à Pékin. Toujours plus connu et même ressassé, ce qui se passe au-delà des frontières reste bien souvent une énigme. Le déchiffrement ne s'interrompt jamais, et le recul des idéologies le rend plus nécessaire encore[5]. » De plus, un gouvernement ne peut réagir sur la foi d'une simple dépêche d'agence. Il lui faut la confirmation de son représentant, assortie d'analyses et de recommandations opérationnelles sur la conduite à tenir. Sans compter que, dans les pays où la liberté de presse est limitée, voire inexistante, le poste diplomatique joue un rôle d'information quasi exclusif.

La spécificité du Quai d'Orsay demeure également préservée par le fait qu'il est, dans l'appareil d'État, l'unique gardien de la « mémoire des choses » et de la continuité. Fait significatif : le ministère des Affaires étrangères est le seul, avec celui de la Défense, à conserver ses propres archives, à ne pas les verser aux Archives nationales. Il est, également, le seul lieu où peut s'élaborer la synthèse politique entre les différents intérêts contradictoires, où la vision géopolitique peut trouver une place. Dans les régions en guerre où la France possède une représentation diplomatique, l'ambassadeur est amené à jouer un rôle souvent privilégié d'informateur et de go-between[6]. Au cours de ces trois dernières décennies, le Quai d'Orsay a aussi développé une « expertise » reconnue dans les domaines des affaires stratégiques et du désarmement, des rapports avec les Nations unies et les grandes organisations internationales, et enfin dans celui des affaires communautaires. On oublie souvent que la politique européenne de la France a été largement engagée et mise en œuvre, au départ, par les services du Quai d'Orsay.

Mais en quelques années les trois atouts que possédaient les diplomates – le monopole de l'« expertise », l'ignorance et l'éloignement des politiques et l'instabilité de l'environnement international – se sont effrités. Bien que la guerre froide n'ait pas totalement anesthésié l'action diplomatique de la France, elle a joué en défaveur du Quai d'Orsay. L'ordre bipolaire, fondé lui-même sur l'équilibre de la terreur, gèle les rapports internationaux et confie aux plus hauts dirigeants le soin de définir la stratégie extérieure du pays. Dans un monde marqué par la menace d'une troisième guerre mondiale, la France, détentrice de l'arme atomique, se voit tenue à la plus grande prudence sur le plan de

---

5. Pierre Morel, « Le diplomate, de l'exceptionnel au quotidien », *Études*, octobre 1996. Ce point est également développé dans la contribution de François Scheer.
6. Cf. ci-dessous les contributions de C. Graeff, de G.-M. Chenu et de D. Leroy.

sa politique internationale. La stratégie est élaborée à l'Élysée, par le président entouré de quelques ministres et conseillers civils ou militaires.

## De l'équilibre de la terreur au nouveau désordre mondial

La fin de la guerre froide et la mondialisation modifient encore une fois la donne. L'interdépendance économique croissante des États, en particulier parmi les membres de l'OCDE, conduit à une coopération qui ne cesse de se renforcer au fil des années, créant des règles de jeu contraignantes pour ses membres. Des problèmes de plus en plus nombreux (dans le domaine de l'économie, des finances, de la santé, de l'environnement, du commerce, etc.) sont discutés et réglés dans des cadres multilatéraux, ce qui restreint l'autonomie décisionnelle des États et le rôle des ambassades. Cette contrainte apparaît de manière encore plus vigoureuse pour les pays qui, comme la France, ont fait le choix de l'intégration européenne.

On assiste parallèlement à la montée en puissance de « nouveaux acteurs transnationaux » : terroristes, mafias, immigrés, firmes multinationales, « société civile internationale ». Plusieurs milliers d'ONG sont présentes sur la scène mondiale et leur action ne peut être ignorée par les États[7]. La mobilisation de citoyens contre la mondialisation, qui accompagne chacune des grandes rencontres internationales (Seattle, Prague, Gênes...), obtient presque autant de résonance que la rencontre elle-même.

Pour nombre de spécialistes des relations internationales, cette nouvelle situation dévaloriserait encore plus le rôle du diplomate et signerait le déclin irréversible du rôle des ambassades au profit d'une diplomatie multilatérale. Les vieux États européens et occidentaux issus du traité de Westphalie ne seraient plus les seuls éléments constitutifs du système international mais des acteurs parmi d'autres, et la politique étrangère serait devenue « obsolète »[8]. Les États seraient impuissants face aux grands problèmes mondiaux (environnement, santé, etc.) qui

---

7. La sollicitude des dirigeants politiques français et européens à leur égard en témoigne.
8. Strobe Talbott, « Globalization and Diplomacy : A Practitioner's Perspective », *Foreign Policy*, hiver 1997.

perturbent les équilibres de la planète. Diplomates et militaires seraient supplantés par les hommes d'affaires et les acteurs de la société civile internationale.

Ces changements affaiblissent la valeur explicative de la théorie « réaliste », qui fut pendant des décennies la grille interprétative dominante chez les théoriciens des relations internationales. Forgé en réaction au moralisme wilsonien par des auteurs tels que Hans Morgenthau ou Raymond Aron, le réalisme voyait le monde comme un système dominé par les États, ces derniers poursuivant essentiellement des objectifs de sécurité et de puissance[9]. Avec la mondialisation et la transnationalisation des relations internationales, le monde serait désormais entré dans l'ère des « turbulences » mondiales, selon l'expression devenue célèbre de James Rosenau, l'un des auteurs les plus représentatifs de cette école de pensée, dont les écrits ont inspiré nombre de travaux universitaires en France[10].

Certes, Rosenau ne va pas jusqu'à dire que l'État disparaît, mais il affirme qu'il n'a plus les mains libres et qu'il ne contrôle plus les événements. Le système interétatique ne constituerait plus le pivot central de la vie internationale. Il coexisterait avec un système « multicentré », formé par les acteurs non étatiques, devenus les déterminants principaux de la politique internationale. Le monde des États et le monde multicentré obéissent à des principes contradictoires : alors que le premier continue d'être animé par des motivations classiques de recherche de la puissance et de sauvegarde de sa souveraineté, la recherche de l'autonomie prime pour le second.

Le corollaire de ce constat serait le dépassement du paradigme de l'État-nation, l'affaiblissement des liens qui l'unissent aux individus et aux groupes. Il ne serait plus capable de représenter, comme cela fut le cas dans le passé, les intérêts de ses citoyens. On assisterait à une désagrégation du politique au profit d'une « gouvernance » à l'échelle mondiale : un mode de gestion des problèmes mondiaux par une

---

9. Pour plus de détails, voir Jean-Jacques Roche, *Théories des relations internationales*, Paris, « Clefs », Montchrestien.

10. James N. Rosenau, *Turbulences in World Politics : A Theory of Change and Continuity*, Princeton, Princeton University Press ; cf. également Bertrand Badie et Marie-Claude Smouts, *Le Retournement du monde*, Paris, Presses de Sciences po-Dalloz, 1992 ; Josépha Laroche, *Politique internationale*, Paris, LGDJ, 1998 ; Olivier Dollfus, *La Mondialisation*, Paris, Presses de Sciences po, 1997.

multiplicité d'acteurs – États, ONG, organisations internationales – agissant sur un pied d'égalité, dépourvus de lien hiérarchique. Pour d'autres encore, on assisterait à l'émergence d'une « citoyenneté civile mondiale », porteuse d'une nouvelle organisation de la vie démocratique, voire de structures représentatives d'une future « démocratie mondiale » distincte des États[11].

## Le besoin d'État

La mondialisation économique, le développement du rôle des acteurs non étatiques sont des réalités indiscutables. Pourtant, ce nouveau contexte est loin d'être défavorable aux diplomates.

Si le rapport de force entre États et acteurs non étatiques s'est incontestablement modifié ces dix dernières années, il n'entraîne pas pour autant un « renversement » du monde. La prééminence des États sur la scène internationale n'est pas remise en cause. La « société civile mondiale » tout comme l'« opinion publique mondiale » sont des mythes mobilisateurs commodes. En fait, les États préservent, face aux pressions des ONG et grâce à l'action des diplomates, une capacité de résistance considérable. Ces derniers se sont révélés être de très bons gestionnaires des « intérêts nationaux », tels que le gouvernement français les définit, notamment dans les grandes conférences mondiales. Ainsi, lors de la négociation de la convention de Rome instituant une Cour pénale internationale, en 1998, ils ont fort bien réussi à limiter la portée des demandes des ONG et obtenu que soient préservés les « intérêts nationaux » de la France. De même, à Durban, en Afrique du Sud, lors de la Conférence internationale sur le racisme, ils ont su négocier, avec les diplomates européens, un compromis favorable à l'Europe, à Israël et aux Occidentaux. Rome, Durban : deux bonnes illustrations de cette règle selon laquelle les États ne concèdent que ce qu'ils veulent bien, en fonction de considérations d'intérêts qu'ils redéfinissent pour chaque nouvel enjeu.

La montée en puissance des nouveaux acteurs renforce,

---

11. David Held, *Democracy and the Global Order. From the Modern State to Cosmopolitan Governance*, Cambridge, Polity Press, 1995.

paradoxalement, le rôle des États dans le système international, dans des domaines où ces derniers n'avaient pas l'intention d'agir, à la manière des vases communicants. La montée en puissance des acteurs transnationaux ne signifie pas le déclin concomitant des États. Jamais le besoin d'État n'a été aussi puissant que depuis ces cinq dernières années. Jamais les acteurs de la société civile n'ont autant réclamé son intervention sur la scène mondiale dans les domaines de l'économie, de la justice, du développement, des droits de l'homme, de l'environnement, etc. Depuis les attentats du 11 septembre, la demande d'État est telle qu'elle rend « obsolète » la théorie de Rosenau. Cette pression croissante des acteurs non étatiques conduit, de fait, à une extension du champ de l'activité étatique.

Si surprenant que cela puisse paraître, le terrorisme international renforce lui aussi l'État. Les démocraties, considérées comme plus vulnérables au terrorisme en raison de la porosité de leurs frontières et des contraintes propres aux États de droit, sont capables de se mobiliser très rapidement en cas de menace majeure. Dans toutes les vieilles démocraties occidentales, les actions terroristes ont conduit à une consolidation de l'État, à l'extension de son rôle dans le domaine de la sécurité intérieure et à une intervention accrue dans la vie quotidienne des gens, avec l'assentiment de ces derniers. Les grands attentats terroristes ont également conduit au renforcement de la coopération policière internationale. Une coopération très poussée s'est notamment établie, depuis plusieurs années, entre la France et l'Espagne pour lutter contre le terrorisme basque. La plupart des services intérieurs ou extérieurs, en France, ont étendu leur activité de renseignement à la lutte contre le terrorisme, et une structure de coordination, l'UCLAT, placée auprès du Premier ministre, est venue renforcer le dispositif français. La coopération interétatique a permis l'arrestation de Carlos au Soudan et son transfert en France, où il était recherché notamment pour l'attentat du drugstore de Saint-Germain-des-Prés et l'assassinat de deux agents de la DST.

L'État renforce sa légitimité comme garant de la sécurité de ses citoyens. Le terrorisme ressoude la population autour de ses dirigeants. Les actions terroristes menées en France par des groupuscules algériens au début des années 1980 puis dans les années 1990 n'ont affaibli ni l'État ni la démocratie française. Le terrorisme de la Fraction Armée rouge n'a pas ébranlé les institutions de la République fédérale allemande. Le PKK kurde est loin d'avoir atteint ses objectifs politiques. Il a même réussi à mobiliser la population turque autour de son gouvernement. Beaucoup de ces organisations terroristes ont purement et simplement disparu de la scène. C'est le cas des Brigades rouges italiennes et surtout de l'Armée rouge japonaise, organisatrice du massacre perpétré à l'aéroport de Lod à Tel-Aviv, en 1972, et de la prise d'otages à l'ambassade de France à La Haye. Les attentats de septembre 2001 contre les États-Unis ont conduit à l'effet inverse de celui que visaient, probablement, les groupes terroristes, à savoir un réflexe de repli isolationniste qui provoquerait le retrait des Américains du Moyen-Orient.

## Le « retour » des diplomates

Le terrorisme international, tout comme la guerre, appelle l'action diplomatique. Ce type de combat est complexe et multiforme. Il exige une certaine prudence dans un environnement prompt à s'enflammer. Les diplomates, note Pierre Morel, sont « plus familiers de la violence que ne le donnent à penser les apparences... ». Ils choisissent « par vocation de tirer des contradictions de la vie internationale la raison qui permet de l'organiser [12] ». La lutte antiterroriste va de pair avec une mobilisation diplomatique. Elle nécessite des réponses politiques susceptibles de restreindre les appuis des terroristes. On a vu certains États « sponsors » abandonner, sous la pression diplomatique internationale, leur action de soutien aux groupes terroristes.

La fin de la bipolarité, le nouveau désordre mondial ne rendent que plus nécessaire l'intervention des États et en particulier celle des diplomates. Il devient plus important encore que par le passé de savoir comprendre et interpréter les changements internationaux, imaginer des solutions aux problèmes mondiaux, communiquer. « Aujourd'hui, pour exister, il faut parler sur CNN ! Il faut être constamment "dans le jeu", quels que soient la région du monde ou le type de crise », note Albert Du Roy [13]. Le savoir-faire, la capacité de mobiliser des soutiens politiques et l'expertise technique sont plus que jamais nécessaires.

---

12. Pierre Morel, art. cit. ; cf. également ci-dessous la conclusion de la contribution de François Scheer.
13. *Domaine réservé : les coulisses de la diplomatie française*, Paris, Seuil, 2000, p. 283 ; cf. également la contribution de Jacques Andréani.

Alors que la guerre froide ne leur accordait qu'un espace de réflexion limité, un contexte international turbulent devient presque une aubaine pour les diplomates. Les thèses sur l'érosion de l'État donnent la priorité à l'économique sur la politique et la géopolitique, à la société civile sur les dirigeants, au transnational sur l'interétatique, aux « nouveaux acteurs », ceux du « bas », au détriment de ceux du « haut ». Ce fut, il est vrai, longtemps l'inverse, mais ce juste retour vers l'étude de la « société civile » ne justifie pas que l'on compense un déséquilibre par un autre. Les attentats du 11 septembre constituent un brutal retour aux réalités, et un rappel de l'importance de la sécurité comme fondement du développement économique.

La prévention des conflits et la multiplication des mouvements de contestation antimondialisation élargissent les frontières dans lesquelles l'équilibre de la terreur avait confiné les diplomates. Le monde est redevenu de nouveau tout à la fois illisible, menaçant et encore plus complexe. Il demande plus de vigilance et de régulation. « Le monde va rester dur[14]. » La vieille théorie « réaliste » a encore de beaux restes. Le temps de la « négociation permanente » s'ouvre. Celui de la mise à la retraite des diplomates et des stratèges n'a pas encore sonné.

Mais le changement de contexte international ne suffira pas à lui seul à redorer le blason de cet « autre plus vieux métier du monde ». Le nouveau désordre mondial rend plus que jamais nécessaire l'obligation de modernisation du ministère des Affaires étrangères. Le Quai d'Orsay devra davantage s'ouvrir à la société civile, aux entreprises comme aux ONG, apprendre à mieux communiquer. Or ce ministère paraît « fâché » avec la communication : « Secrétaire général du Quai d'Orsay, j'ai découvert une circulaire qui prescrivait qu'aucun ambassadeur ne devait avoir le moindre contact avec la presse sans autorisation formelle du département. [...] Je me suis empressé de prendre ma plume pour établir une circulaire stipulant exactement le contraire. [...] À peine avais-je cessé d'exercer [mes] fonctions qu'une nouvelle circulaire fut édictée, indiquant que la circulaire que j'avais signée était toujours en vigueur, mais que l'on ferait désormais le contraire[15]. » Ce

---

14. Cf. l'interview d'Hubert Védrine.

15. Cf. « L'action extérieure de l'État : la réforme de l'État en France », *Revue française d'administration publique*, janvier-mars 1996, p. 4-65.

témoignage de François Scheer est révélateur des fréquentes oscillations de la politique du Quai en matière de communication et de la difficulté qu'ont les diplomates à se défaire du culte du secret.

Les affectations d'ambassadeurs se font encore trop souvent sans tenir compte de leurs (in)capacités linguistiques et sans l'assurance d'une préparation et d'une connaissance suffisantes du pays. La mobilité vers d'autres administrations, indispensable pour familiariser les diplomates avec les problématiques nouvelles, doit être fortement encouragée et le recrutement doit davantage se diversifier. Une meilleure coordination entre Paris et les postes est plus que nécessaire. Les ambassadeurs se plaignent à juste titre d'être souvent laissés sans instructions de la part des autorités politiques. Le témoignage de Georges-Marie Chenu est révélateur de ce genre de dysfonctionnements[16]. Le diplomate en poste est bien souvent amené à se débrouiller tout seul, à improviser, en essayant toutefois de ne pas trahir une « ligne officielle » dont il ignore l'essentiel au demeurant. Ce chef de poste, cité dans le rapport Picq, qui évoque le « silence effrayant des grands espaces parisiens » ne fait qu'exprimer une impression que beaucoup d'ambassadeurs partagent[17].

Les diplomates sont-ils conscients de l'importance, pour leur métier, de ces nouveaux défis et sont-ils prêts à les relever ? Une partie d'entre eux aurait sûrement préféré gérer la politique étrangère de la France comme au temps du statu quo qu'imposait la guerre froide. Faut-il s'en étonner ? Aucune bureaucratie n'aime être bousculée dans ses habitudes. Nul besoin de relire Le Phénomène bureaucratique de Michel Crozier pour s'en convaincre : « La hantise du diplomate, écrit l'un d'eux, c'est le dérèglement de l'ordre précaire dans lequel il s'attache à sauvegarder au mieux les intérêts dont il a la charge[18]. » Nombre d'entre eux s'en tiennent encore à une conception étroite des intérêts de la France. Ils ont du mal à accepter que d'autres, surtout s'ils n'appartiennent pas à l'appareil d'État et ne partagent pas leur culture

---

16. Cf. ci-dessous le chapitre consacré aux Balkans.
17. Le rapport Picq, demandé par Alain Juppé en 1993, fait notamment état de récriminations d'ambassadeurs déplorant leur insuffisante utilisation par leurs interlocuteurs parisiens. Ce rapport n'a pas été rendu public. La conférence annuelle des ambassadeurs, créée à l'initiative d'Alain Juppé, tend à améliorer la communication entre le pouvoir politique, l'administration centrale et les chefs de poste.
18. Pierre Morel, art. cit.

politico-administrative – ONG, chercheurs –, puissent s'arroger le droit de définir l'« intérêt national »[19]. La mobilité au sein de l'appareil d'État se heurte encore à de nombreuses résistances. S'éloigner de la « maison mère » est considéré par les diplomates comme un handicap pour leur carrière[20]. L'administration centrale, tout comme les ambassades, souffre d'un trop grand cloisonnement et d'un goût excessif pour la rétention de l'information, déplorée par le ministre lui-même[21].

Mais ces résistances n'empêchent pas le « Quai » d'évoluer. Les diplomates sont inséparables de leur mythologie. On les dit mondains, attachés à l'apparat, *cookie pushers*[22]. Certes. Toutefois, le métier de diplomate ne se limite pas aux seules fonctions de représentation. Il se diversifie et se modernise. Le ministère des Affaires étrangères est moins hermétique au changement que du temps du gaullisme et de la guerre froide. « Une nouvelle manière d'exercer le métier de diplomate se cherche[23]. » Les points de vue des diplomates et des ONG se rapprochent progressivement, même s'ils ne coïncideront probablement jamais totalement. L'administration comprend sans doute mieux leurs exigences et les valeurs universelles que les meilleures d'entre elles véhiculent. Les ONG, quant à elles, admettent mieux le fait qu'elles ne puissent tout obtenir tout de suite[24]. Plusieurs ambassadeurs délégués ont été nommés pour suivre les grands enjeux de la mondialisation[25]. Mais ce n'est pas suffisant. Cette création ne pallie pas la faiblesse structurelle du Quai dans ces domaines, notamment son insuffisance d'effectifs. Faudrait-il, à l'instar des diplomaties américaine et britannique, mettre sur pied une direction de la globalisation ? Cela paraît surprenant de vouloir faire traiter par un seul service des problèmes aussi hétéroclites que l'environnement, les droits de l'homme, le blanchiment de l'argent sale, le

---

19. Voir sur cet aspect les contributions de François Heisbourg et de Michel Doucin.

20. Cf. Sylvain Cypel, « À quoi sert le Quai d'Orsay ? », *Le Monde*, 25 avril 2001.

21. Cf. ci-dessous l'entretien avec Hubert Védrine.

22. Selon l'expression de Jacques Andréani, in « À l'heure de la mondialisation, à quoi servent encore les diplomates ? », *La Revue internationale et stratégique*, n° 39, automne 2000.

23. Cf. la contribution de Michel Doucin.

24. Cf. les contributions de Michel Doucin et de Guillaume Devin.

25. Philippe Zeller, ancien ambassadeur délégué aux problèmes de l'Environnement et auteur d'une contribution dans ce livre, est l'un d'eux. À côté de ce poste d'ambassadeur, ont été créés ceux d'ambassadeur itinérant chargé des questions de lutte contre la criminalité organisée et la corruption et d'ambassadeur chargé des droits de l'homme.

terrorisme, les OGM, les grandes épidémies, etc. Le ministère a sans doute eu raison de refuser de créer une direction fourre-tout dans le seul but de s'inscrire dans l'air du temps.

## De la modernisation du Quai à celle du processus décisionnel

Mais l'art de gérer les turbulences mondiales, tout particulièrement dans une période de mutation de l'environnement international, passe également par le renforcement des fonctions d'analyse et de prévision. En 1973, Michel Jobert a eu la bonne idée de créer au Quai d'Orsay le CAP (Centre d'analyse et de prévision)[26]. Accueilli avec la plus grande méfiance par le secrétaire général du ministère et par la plupart des directeurs, le CAP a fini par s'intégrer dans cette administration plutôt réfractaire à l'innovation. Depuis, il a joué un rôle appréciable, particulièrement dans les questions politico-stratégiques, auprès de Jean François-Poncet et de Claude Cheysson, mais aussi, dans la gestion de la guerre des Balkans, auprès d'Alain Juppé. Il est la fenêtre privilégiée du ministère vers le monde des experts extérieurs à l'administration.

Mais son rôle est irrégulier. Il dépend tout à la fois de la qualité de ses membres et de la personnalité du ministre. Roland Dumas, qui se méfie de son administration et de tout ce qui peut s'apparenter, de près ou de loin, à de la prospective, met le CAP sur la touche, se privant ainsi de ses évaluations très pertinentes, au demeurant, sur la réunification allemande[27]. Mais, dans ce cas d'espèce, c'est le pouvoir politique, et non le Quai d'Orsay, qui est responsable du dysfonctionnement. On ne peut pas toujours faire porter à l'appareil administratif la responsabilité d'erreurs d'appréciation. Le pouvoir politique n'utilise pas toujours correctement les ressources disponibles dans l'administration et hors d'elle. Cette dérive est moins celle d'un homme, ou celle d'une équipe politique particulière, que celle d'un système politique qui permet en temps « normal » au

---

26. Cf. Samy Cohen, « Prospective et politique étrangère : le Centre d'analyse et de prévision du ministère des Relations extérieures », *Revue française de science politique*, n° 6, décembre 1982.

27. Cf. Samy Cohen, « L'imprévision et l'imprévisible : remarques sur le processus mitterrandien d'information et de décision », in *Mitterrand et la sortie de la guerre froide*, sous la direction de Samy Cohen, Paris, PUF, 1998.

président de diriger la politique étrangère sans se sentir obligé de prendre l'avis des experts, en se fiant à sa seule expérience et à son intuition. Tous les présidents, en l'absence de contrepoids, finissent au terme de quelques années par se croire omniscients en politique internationale.

La cohabitation, ce régime tant décrié et avec lequel les partis politiques ont hâte d'en finir, corrige pourtant cet effet pervers des institutions de la Ve République[28]. Depuis 1993, elle a paradoxalement transformé de manière positive la gestion de la politique étrangère. Elle favorise une meilleure concertation entre les deux têtes de l'exécutif et une meilleure association des experts. L'information circule mieux entre les différents niveaux de la hiérarchie. Elle rogne, certes, les pouvoirs du chef de l'État mais, en contrepartie, elle limite les risques d'erreur. La gestion des affaires est moins chaotique car moins dépendante d'un seul homme. La politique étrangère est moins souvent sujette à des improvisations. Mais la cohabitation a ses inconvénients. Considérée comme un régime temporaire, elle n'encourage pas les initiatives fortes, la prise de risque, l'innovation. Elle incite les deux principaux camps à beaucoup trop s'investir dans des opérations valorisantes en termes d'image. Elle entraîne un certain affadissement de la politique étrangère.

Quelle grande vision, en effet, habite les dirigeants français depuis 1997 ? Quel grand dessein ont-ils à faire valoir ? La politique étrangère de la France est purement réactive, consistant à préserver l'État des nombreux facteurs d'érosion qui le menacent, à tenter d'enrayer le déclin de son influence sur la scène internationale. La diplomatie française se focalise de manière quasi obsessionnelle sur la menace que fait peser sur sa marge de manœuvre l'« hyperpuissance » américaine[29]. Les dirigeants français ont développé une rhétorique galvanisante, certes, mais peu convaincante. Affirmer que la France est l'« une des sept ou huit puissances d'influence mondiale » apparaît comme un substitut du discours gaullien sur la « grandeur », qui est tout aussi éloigné de la réalité française. La politique étrangère de la France reste beaucoup trop souvent prisonnière de ses mythes. De quelle influence la France dispose-t-elle en Asie ou en Amérique latine[30] ?

---

28. Cf. Samy Cohen, « La diplomatie française dans la cohabitation », *Esprit*, juin 2000.
29. Cf. ci-dessous la contribution de François Heisbourg.
30. Cf. Stanley Hoffmann, « La France dans le monde : 1979-2000 », *Politique étrangère*, n° 2, été 2000.

Sa politique européenne a perdu son caractère imaginatif et consiste à contrecarrer toute proposition susceptible de porter atteinte aux attributs les plus importants de sa souveraineté : la politique étrangère et la défense. De même dans les grandes conférences qu'organisent les Nations unies, son attitude paraît réactive : résister à l'ingérence des ONG, préserver ses intérêts fondamentaux. Au Proche-Orient, la Norvège et l'Allemagne ont davantage de poids qu'elle, sans doute parce que ces pays ont compris plus tôt, que pour être écouté par les Palestiniens et les Israéliens, il faut tenir la balance strictement égale. Elle a été loin d'imaginer le développement de la contestation antimondialisation, contrainte d'improviser, à quelques mois des grandes échéances électorales, un discours de séduction à destination des associations de lutte contre la mondialisation, mais sans qu'aucune mesure concrète n'ait été prise. La politique étrangère de la France demeure ambitieuse dans son discours mais faible dans ses réalisations. Le budget de la Défense, celui consacré à la coopération culturelle et à l'aide au développement, pour ne prendre que ces exemples, restent très insuffisants. Mais surtout, face au nouveau désordre mondial, quelles perspectives offre-t-elle ? Quels principes nouveaux d'action propose-t-elle ? Depuis le 11 septembre, quelles orientations suggère-t-elle ? La cohabitation ne peut être tenue complètement responsable de cette léthargie mais elle y contribue et les dirigeants politiques ne pourront longtemps encore ignorer la nécessité d'affronter cette question : comment sortir de la cohabitation sans revenir à cette forme d'impérialisme que tous les présidents ont pratiquée ?

Pour que les diplomates puissent donner pleinement la mesure de leur capacité, encore faut-il que la France se dote d'une politique étrangère imaginative, qui ne se réduise pas à des mesures d'ajustements ponctuelles aux défis internationaux. Faute de quoi les diplomates risquent de se voir confinés dans le rôle, peu glorieux, de gestionnaires du déclin de l'influence française sur la scène internationale.

**Samy Cohen**

# 1 | À l'épreuve
# de la mondialisation

# « Au temps du monde fini »

François Scheer

Littré définissait la diplomatie comme « la connaissance des rapports internationaux, des intérêts respectifs des États », à quoi il adjoignait un sens figuré : « manèges dans la vie privée comparés à ceux des diplomates ». En quelques mots, tout était dit : à la fois l'ampleur des responsabilités dont toute diplomatie a la charge dans le concert des nations, et l'ambiguïté de l'image du diplomate telle qu'elle est répandue dans le grand public.

Sans doute, à l'instar de toutes les professions, la diplomatie mêle-t-elle dans ses rangs grands talents et insignes médiocrités, artisans du changement et apôtres de la tradition, artistes et géomètres, croisés et sceptiques, chanceux et frustrés. Et si, plus que d'autres métiers de la fonction publique, elle suscite parfois la critique et le sarcasme, et se voit périodiquement promise à une prompte disparition, elle le doit sans doute, comme toute institution humaine, à des travers avérés mais qui ont le tort de s'afficher dans un décorum dont on se borne trop souvent à voir les paillettes, sans chercher à comprendre ce qu'il dissimule de servitudes, d'aléas et de risques.

Mais venons-en à l'essentiel, qui est dans la nature et la pérennité d'une fonction dont Jules Cambon, premier secrétaire général du ministère des Affaires étrangères, disait en quelques mots l'évidente

banalité : « Tant que les gouvernements des divers pays auront des rapports entre eux, il leur faudra des agents pour les représenter et les
renseigner, et, qu'on leur donne le nom qu'on voudra, ces agents feront
de la diplomatie. » Si le mot n'entre dans le *Dictionnaire de l'Académie française* que sous la Révolution, il désigne une fonction qui avait dès longtemps précédé l'apparition des premiers services exclusivement dédiés
aux relations internationales (1589 en France) et des premières ambassades, installées au XVe siècle par les cités italiennes : « L'art et l'action de
négocier les grandes affaires ».

Dans cette définition, le mot « négocier » est tout, à condition de
l'entendre dans son acception la plus large : car une négociation n'est
jamais que le développement, l'aboutissement, voire le couronnement
d'un processus diplomatique qui est d'abord la recherche et l'établissement d'un dialogue, à charge pour le diplomate d'en assumer autant
que faire se peut la permanence afin de rendre à tout moment possible
l'ouverture de négociations, quand l'opportunité ou la nécessité le
dictent.

Plaçons donc sans hésiter la négociation au cœur du métier diplomatique, la négociation avec tout ce qu'elle implique, comme le souli-
gnait Littré, de connaissances des êtres et des choses, et d'instruments
adaptés à l'exercice d'une fonction, sur laquelle repose depuis l'origine
des temps l'instauration de relations pacifiques entre les peuples et les
nations. Définie ainsi, la finalité du métier diplomatique est pérenne.
Seules les conditions de son exercice ont au cours du dernier siècle
profondément changé.

## Passé et présent du métier de diplomate

Jusqu'à la fin du XIXe siècle, l'histoire des relations internationales est
d'abord une histoire européenne. En 1860, la France ne dispose que de
sept ambassades, toutes en Europe. Elle n'installera d'ambassade à
Washington qu'en 1893, l'année où le gouvernement américain ouvre
lui-même sa première ambassade. Et, à la veille de la Seconde Guerre
mondiale, le réseau diplomatique français ne compte toujours, outre
quelques légations, que quinze ambassades de plein exercice, dont neuf
en Europe. Quant à la SDN, elle ne dépassera jamais, durant sa courte
existence, le chiffre de quarante-cinq membres. À l'ONU siègent

aujourd'hui plus de cent quatre-vingts gouvernements, et la France entretient un train de quelque cent cinquante ambassades bilatérales, dont certaines accréditées auprès de plusieurs gouvernements, d'une quinzaine de missions permanentes auprès d'organisations internationales, d'une centaine de postes consulaires, sans oublier quelques ambassadeurs « *at large* » chargés de suivre un dossier d'une particulière importance au plan international (par exemple les investissements étrangers en France ou l'environnement) ou de représenter la France dans des négociations au long cours.

Ces données brutes traduisent deux changements majeurs dans le décor où se meuvent les diplomates : le champ de l'action diplomatique est en quelques décennies devenu planétaire, et l'on a vu progressivement se superposer à la routine des relations bilatérales un espace de négociation continu et vaste, que dessinent les multiples organisations internationales à vocation mondiale ou régionale, et les grandes conférences internationales attachées à légiférer pour la communauté des nations dans les domaines les plus divers.

Les deux guerres mondiales, qui ont l'une et l'autre marqué le crépuscule de l'action diplomatique des grandes puissances en charge du destin du monde durant quatre siècles, ont ainsi déterminé l'émergence d'une nouvelle diplomatie, universelle et globale, en perpétuel mouvement, renouvelant le genre d'un exercice à propos duquel Armand de Richelieu rappelait dans son *Testament politique* qu'« une négociation continuelle ne contribue pas peu au succès des affaires... Négocier sans cesse, ouvertement ou secrètement, en tous lieux, encore même qu'on n'en perçoive pas un fruit présent et que celui qu'on en peut attendre à l'avenir ne soit pas apparent, est donc du tout nécessaire pour le bien des États ». Leçon que la France appliqua à la lettre en menant de front durant la guerre de Trente Ans les opérations militaires et les négociations qui, quatre ans plus tard, aboutirent aux traités de Westphalie. Leçon que les affrontements meurtriers de la première moitié du XXe siècle semblaient avoir définitivement rejetée dans les ténèbres de l'histoire, et à laquelle le système des Nations unies, en dépit de ses nombreux avatars, a redonné une nouvelle actualité. Leçon qui paraît offrir désormais aux diplomates du monde entier un espace et un pouvoir sans limites. Et pourtant...

Car dans le même temps, le monde n'est pas seulement devenu un par le fait de la « prolifération étatique », mais aussi et d'abord en raison des progrès techniques qui ont contribué en l'espace d'un siècle à bâtir le « village planétaire », et, du même coup, bouleversé les conditions d'exercice du métier diplomatique. Dès 1883, Albert Sorel notait : « Le télégraphe a multiplié, tout d'un coup, sans préparation et sans transition aucune, dans les rapports des États, un élément que, jusque-là, tout l'art des chancelleries s'était efforcé d'en bannir : la passion. Maintenant, quelques heures suffiront pour allumer et résoudre en guerre les querelles des États... Il n'est point d'homme d'État subalterne ou de mince plénipotentiaire à qui il faille aujourd'hui, rien que pour éviter les fautes lourdes et les sottises funestes, dix fois plus de prudence que n'en avait Mazarin et plus d'empire sur lui-même que n'en possédait Talleyrand. » Encore Sorel n'avait-il connaissance que du développement du chemin de fer, du télégraphe et du téléphone, et n'avait-il pu imaginer en quoi l'aviation, la radio, la télévision, l'informatique et la conquête spatiale contribueraient encore à rétrécir l'espace des relations internationales.

## La diplomatie, une comédie aux cent acteurs divers ?

Ce que l'auteur de L'Europe et la Révolution française avait en revanche parfaitement anticipé, c'est l'intervention croissante, en prise directe, des politiques dans le jeu diplomatique, favorisée par l'explosion des modes de communication et de transport. Contrairement à une idée reçue, maintes fois avancée par les pleureuses de la profession, les diplomates de métier n'ont jamais bénéficié de la moindre exclusivité. De tout temps, monarques et ministres se sont mêlés de négocier, qu'ils en aient ou non la capacité. Pour s'en tenir aux grandes négociations qui, siècle après siècle, tentèrent d'inscrire dans la durée les grands équilibres européens, Münster et Osnabrück au XVIIe siècle, Vienne en 1814-1815, Versailles, Saint-Germain-en-Laye, Neuilly et Trianon en 1919-1920, les chefs de gouvernement et leurs ministres des Affaires étrangères y jouèrent le premier rôle, avec des succès divers. Nul doute que Metternich et Talleyrand, tous deux anciens ambassadeurs, y mirent plus de talent qu'un Wilson, un Lloyd George ou même un Clemenceau. Il reste que, hormis ces grandes mises en scène, les distances à parcourir dissuadaient les gouvernants d'alors de consacrer l'essentiel de leur temps au quotidien de l'action internationale, qui demeurait l'apanage des diplomates. Si Delcassé, ministre des Affaires étrangères de la République, en fixa les principes, c'est bien à Paul Cambon, ambassadeur à Londres durant vingt années, que revint le soin de négocier dans le détail les contours de l'Entente cordiale.

Voilà qui depuis cinquante ans a radicalement changé. Les distances abolies, les interférences entre politique extérieure et action diplomatique sont désormais quotidiennes, pour le meilleur et pour le pire. Chefs d'État et de gouvernement et ministres s'écrivent, se télégraphient, se téléphonent, se rencontrent en tête à tête ou lors de réunions internationales. De cet incessant ballet, les diplomates en poste dans leur capitale ou à l'étranger ne se trouvent pas nécessairement exclus : mais ils en ont rarement la maîtrise, et, n'étaient les mille services matériels rendus aux itinérants grâce aux moyens dont disposent ambassades et consulats, il semble parfois à l'observateur extérieur que l'on pourrait en définitive aisément se passer d'eux.

L'affaire se complique encore avec l'intervention croissante dans le champ traditionnel de la diplomatie d'acteurs nouveaux. Dès l'origine, politique et économie se sont trouvées étroitement associées dans l'exercice diplomatique. Lorsque les cités italiennes installèrent leurs premiers résidents permanents au-delà des mers, le commerce y avait autant sa part, et sans doute davantage, que le politique. Et, de tout temps, les consuls « marchands » assumèrent cette fonction primordiale de la relation internationale. Aujourd'hui encore, parmi les collaborateurs des chefs de missions diplomatiques, le conseiller commercial, chef du poste d'expansion économique, occupe une place privilégiée. Dans la plupart des grandes diplomaties, cette fonction est au demeurant l'apanage de diplomates « de carrière », c'est-à-dire d'agents du ministère des Affaires étrangères. La France fait exception à ce schéma : le corps de l'expansion économique est géré par la Direction des relations économiques extérieures, c'est-à-dire par le ministère de l'Économie et des Finances. Toutes les tentatives faites depuis des décennies pour mettre un terme à cette anomalie se sont heurtées au conservatisme d'une administration qui n'est pas en l'occurrence le département des affaires étrangères.

Mais il n'est guère de domaines de l'activité humaine qui échappent aujourd'hui à la concertation ou à la confrontation internationale, et la technicité des matières traitées fait obligation d'associer au travail diplomatique des experts de toutes origines administratives. Qu'il s'agisse des missions diplomatiques ou des délégations aux conférences internationales, nombre de départements ministériels s'y trouvent représentés, s'étant eux-mêmes dotés de directions ou de services chargés des affaires internationales. Toutes les administrations de l'État sont désormais peu ou prou appelées à participer à des négociations internationales, bilatérales ou multilatérales. En fonction de l'importance des missions diplomatiques se trouvent rassemblés sous la houlette de l'ambassadeur des agents des ministères de la Défense (aux trois armes sont fréquemment adjoints des spécialistes des problèmes d'armement : commerce oblige !), des Finances (trésor, impôts, douanes), de l'Agriculture, des Affaires sociales, des Transports, de l'Industrie, de l'Éducation, de la Culture, de la Recherche scientifique, de la Justice, de l'Intérieur.

Rien que de très normal à cela : si doués soient-ils, on ne peut attendre des seuls agents du ministère des Affaires étrangères une universelle compétence. Il reste qu'aucune action diplomatique ne se conçoit sans un soupçon de coordination. Telle est en principe la responsabilité première de l'ambassadeur dans les missions à l'étranger : pour la France, un décret daté du 1er juin 1979 stipule que « l'ambassadeur est dépositaire de l'autorité de l'État dans le pays où il est accrédité... Il reçoit ses instructions du ministre des Affaires étrangères, et, sous le couvert de ce dernier, de chacun des ministres... Il coordonne et anime l'action des services civils et de la mission militaire... ». Ce décret fait l'objet de rappels périodiques sous forme de circulaires du Premier ministre : preuve que, du texte réglementaire au quotidien des ambassades, il est des espaces à combler qui sont fonction de l'autorité personnelle du chef de poste autant que de la bonne volonté des chefs de service... et de leurs administrations centrales.

Car, à ce niveau, la tâche du ministre des Affaires étrangères pour obtenir de ses collègues une certaine discipline dans le traitement des affaires internationales, y compris dans l'organisation et le déroulement des négociations multilatérales, est rien moins qu'aisée. Dans l'une des circulaires précitées, le Premier ministre jugeait utile d'adresser aux membres du gouvernement eux-mêmes le rappel à l'ordre suivant :

Le développement des relations internationales implique aujourd'hui que d'autres autorités que le ministre des Affaires étrangères soient amenées à rencontrer leurs collègues étrangers et que leurs services aient des relations avec leurs correspondants étrangers... Cependant [...] la cohérence de la politique étrangère de la France [...] suppose que le ministre des Affaires étrangères joue pleinement son rôle de conception et de coordination [...]. Le ministre des Affaires étrangères doit être systématiquement et exactement informé des relations entretenues par les autres ministres avec les autorités étrangères, notamment des négociations menées entre administrations françaises et étrangères et du résultat des entretiens des ministres avec leurs homologues étrangers [...] Aucun déplacement à l'étranger dans l'exercice de vos fonctions et aucune invitation en France d'une autorité étrangère ne peuvent être mis à exécution avant que le ministre des Affaires étrangères n'ait donné son accord [...]. Des engagements sont souvent pris sous différentes formes [...] par les ministres à l'occasion de rencontres avec leurs homologues étrangers. Je vous rappelle qu'aucun engagement, même verbal, ne peut être pris sans l'assentiment du ministre des Affaires étrangères [...] De nombreux accords à caractère technique sont négociés, conclus et signés par tous les ministres. Le ministre des Affaires étrangères doit en être systématiquement informé dès que s'engage la négociation.

Nul texte ne rend mieux compte à la fois de la prolifération des acteurs de la vie diplomatique et de l'extrême difficulté pour le ministre chargé des relations extérieures d'en garder la maîtrise. Et l'on évoquera pour mémoire l'intervention croissante sur la scène internationale des collectivités publiques infranationales, qui ont notamment conduit le Quai d'Orsay, en accord avec le ministère de l'Intérieur, à créer une délégation à l'action extérieure des collectivités locales, ou encore des organisations non gouvernementales, particulièrement dans les domaines de la coopération économique, sociale, culturelle et technique, et de l'action humanitaire. Ces actions ne peuvent pas ne pas être prises en compte dans le jeu diplomatique, sans que le diplomate en ait pour autant la maîtrise.

Ajoutons, pour compléter le tableau, la funeste pratique des diplomaties parallèles. Elles sont aussi anciennes que la diplomatie. Les monarques, éclairés ou non, ont usé et abusé des émissaires personnels, des envoyés secrets, des espions, des sicaires et des « cabinets noirs », doublant souvent l'action de leurs gouvernements. L'espèce a depuis lors proliféré, rarement pour le bien de l'État.

Doit-on conclure de ces chassés-croisés aux effets parfois discutables que, dans un champ plus ouvert que jamais à l'exercice de la diplomatie, les diplomates se trouvent, par un étrange coup du sort, relégués au rang des utilités ? La réalité vaut heureusement mieux que l'apparence.

## La diplomatie et la « négociation continuelle »

Si la négociation n'est plus l'apanage des seuls diplomates de carrière – répétons-le : elle ne l'a jamais été –, elle demeure affaire d'experts : l'improvisation y est mal venue, tant il est vrai qu'aucune négociation ne ressemble à l'autre.

« Il faut agir en tout lieu et... selon l'humeur et par moyens convenables à la portée de ceux avec lesquels on négocie. »

Et Richelieu d'ajouter :

> Tant s'en faut que parler et agir courageusement, après qu'on a le droit de son côté, soit courir à une rupture, qu'au contraire, c'est plutôt la prévenir et l'étouffer à sa naissance. En d'autres lieux, au lieu de relever mal à propos de certains discours faits imprudemment par ceux avec qui on traite, il faut les souffrir avec prudence et adresse tout ensemble, et n'avoir d'oreilles que pour entendre ce qui fait parvenir à ses fins.

Reconnaissons cependant, que de nos jours, la grande négociation bilatérale se fait rare. Les grands enjeux de politique extérieure sont devenus le matériau naturel de la négociation multilatérale, celle qui va son train dans le cadre des sommets et des conférences aux objets les plus divers (commerce, développement, droits de l'homme, environnement, droit de la mer, désarmement, énergie, transports, etc.), celle qui constitue le quotidien des grandes organisations internationales, lieu privilégié d'une action diplomatique tout entière consacrée à cette « négociation continuelle » que le cardinal tenait pour la pierre d'angle de sa politique extérieure.

C'est au Conseil de sécurité des Nations unies, au Conseil de l'Atlantique Nord, au Comité des représentants permanents de l'Union européenne que se négocient inlassablement depuis cinquante ans les conditions et les modalités d'une mise hors la loi aussi définitive que possible de la guerre à travers le monde, et, d'abord, en grande priorité, dans une Europe qui portait la responsabilité première des deux conflits

mondiaux qui ont meurtri le XXᵉ siècle. À l'opposé de la diplomatie itinérante qu'affectionnent les hommes politiques (les diplomates y ont
leur part), se développe dans ces enceintes internationales une diplomatie de proximité, de « club », et – osons le mot – de complicité, la négociation y étant d'abord occasion de se parler, de s'écouter, de se
comprendre, avant même que de s'attacher à dégager à partir d'intérêts
nationaux divergents des positions communes traduites en d'innombrables textes de résolutions, règlements, directives, décisions, avis. Là aussi,
il vient un moment où les politiques prennent le relais des diplomates
pour d'improbables débats sur des textes souvent d'une telle complexité
qu'une fois les décisions prises il revient aux instances diplomatiques de
les rendre intelligibles. Ainsi fonctionne depuis vingt-cinq ans le Conseil
européen, docte assemblée semestrielle de chefs d'État et de gouvernement, flanqués de leurs ministres des Affaires étrangères, et débarrassés
de l'encombrante présence des représentants permanents, auxquels in-
combera cependant de remettre sur le métier les grimoires produits par
ce conclave, pour en déchiffrer patiemment le sens et leur donner la
forme de décisions exécutoires. Sait-on au demeurant que plus des trois
quarts des textes qui forment la trame juridique de l'Union européenne
sont arrêtés par les mêmes représentants permanents et leurs collaborateurs, l'échelon politique, c'est-à-dire le Conseil, se bornant à les marquer
de son sceau pour leur donner force de loi ?

## Les diplomates, gardiens des « intérêts nationaux »

Mais si l'art de la négociation s'exerce désormais d'abord dans les
institutions internationales, que reste-t-il aux ambassadeurs en poste
dans les capitales du monde ? Doivent-ils se résigner à faire chorus avec
Le Diplomate de Scribe, qui au milieu du XIXᵉ siècle s'écriait déjà : « Vous
ne me croyez pas en état de rédiger un protocole, et c'est tout au plus
si j'ai la capacité nécessaire pour porter des dépêches diplomatiques ! »
Ce serait bien cher payer un réseau diplomatique et consulaire plus
dense que jamais. De fait, la représentation et la défense des intérêts
nationaux auprès d'un gouvernement étranger gardent, en dépit de la
multilatéralisation croissante des relations diplomatiques, tout leur sens.

À preuve l'exemple de la France. Voilà un pays qui, en dépit des aléas
de son histoire, conserve partout dans le monde des intérêts à défendre

et des ressortissants à protéger. Voilà également un pays qui se trouve engagé depuis cinquante ans dans une aventure européenne ambitieuse, dont il a été dès l'origine, avec l'Allemagne, le moteur principal. Ne lui reviendrait-il pas de montrer une fois encore le chemin en plaçant résolument cette défense et cette protection dans le cadre de la politique extérieure commune, en chantier depuis bientôt une dizaine d'années ?

Il n'en est pourtant rien, et le cas de la France mérite que l'on s'y arrête un instant, car il illustre plus que tout autre le dilemme présent de l'Europe en marche vers son unité. Mieux qu'une longue démonstration, quelques déclarations éclaireront le sujet.

En septembre 1993, inaugurant la première conférence des ambassadeurs, le ministre des Affaires étrangères, Alain Juppé, résume ainsi le dilemme de la politique extérieure dont il a la charge :

> Du point de vue de sa diplomatie, la France est dans une situation originale : d'un côté, le réalisme devrait parfois l'inciter à la modestie ou à la prudence. Aucun d'entre nous ne peut totalement éluder cette question dérangeante : « Avons-nous les moyens de nos ambitions ? » Mais, d'un autre côté, nous éprouvons au plus profond de nous-mêmes la volonté d'agir. Nous savons plus ou moins clairement que la France peut jouer un rôle mondial ; que notre refus obstiné du fait accompli ou de la fatalité nous désigne pour lutter contre la montée de la violence, de l'intolérance et de l'injustice ; que notre tradition d'indépendance – héritage incontesté du général De Gaulle – nous crée des responsabilités particulières. Comment sortir de ce dilemme ? C'est par l'imagination, le sens du mouvement, la détermination dans l'exécution et, par-dessus tout, la volonté de tenir son rang, que la France peut s'affirmer telle qu'elle veut être : une grande puissance.

Répondant aux vœux de la presse le 12 janvier 1999, le Premier ministre, Lionel Jospin, a ces mots :

> Si par « exception française » on entend l'identité, la culture, l'histoire de notre nation, sa singularité, sa configuration façonnée par les siècles, une façon d'être au monde, sa vocation à une certaine forme d'universel, alors j'y suis profondément attaché. C'est là une richesse que nous devons préserver. Ce sont là des éléments d'identité dont les Français ont besoin pour vivre ensemble.

Cette conviction profondément ancrée dans l'esprit de tous les dirigeants français que la France doit préserver une capacité de peser sur les affaires du monde et qu'elle a vocation à défendre jusqu'aux extrémités de la terre des valeurs de portée universelle demeure le ressort principal de la diplomatie française en ce début de XXIe siècle. Est-elle pour autant la marque d'une « exception française » ? Exprimée avec cette vigueur et cette continuité, certainement. Mais que l'on ne s'y trompe pas : quand bien même son poids sur la scène internationale aurait été modeste dans le passé et le resterait, aucun membre de l'Union européenne n'est aujourd'hui disposé à transférer du jour au lendemain la défense de ses intérêts dans le monde à l'Europe. Seules la répétition des crises et les menaces que font peser sur la paix le bouillonnement des nationalismes et des intégrismes ainsi que le déchaînement du terrorisme international seront susceptibles de renforcer les solidarités et, partant, d'accélérer la convergence des diplomaties européennes. Le mouvement est d'ores et déjà perceptible, y compris pour la France qui, devant la montée des périls, trouvera de moins en moins dans son statut de membre permanent du Conseil de sécurité et de puissance nucléaire des raisons de faire bande à part. Bien au contraire, elle peut être le moteur d'une politique extérieure commune qui, allant de pair avec la mise en place d'une vraie capacité de défense, permettra seule à l'Europe unie de devenir cette puissance mondiale que la France appelle de tous ses vœux, et sans laquelle un nouvel équilibre du monde, fondé sur la paix et la solidarité des nations, paraît aujourd'hui improbable.

Mais les intérêts que défend à travers le monde la France, à l'instar des autres nations, ne sont pas seulement politiques et stratégiques. Ils sont économiques, commerciaux, culturels, technologiques, juridiques, moraux, et justifient amplement la permanence des réseaux diplomatiques et consulaires nationaux. Car aucune diplomatie itinérante, si dynamique soit-elle, aucune technique de communication à l'extrême pointe du progrès ne peut prétendre couvrir la totalité du sujet. Ministres et délégations passent, le suivi des affaires demeure et repose entièrement dans les mains des missions diplomatiques et des postes consulaires.

Et si négocier n'est plus au cœur de la fonction de chef de mission diplomatique, du moins celui-ci reste-t-il le mieux placé pour inlassablement expliquer à son gouvernement le pays dans lequel il est accrédité, comme il lui revient d'expliquer à ce dernier le pays qu'il représente. Il ne s'agit pas tant de nourrir jour après jour son gouvernement d'informations détaillées sur les événements dont son pays de résidence est le théâtre, ce dont les agences de presse se chargent avec une inégalable dextérité, mais, en prenant le recul nécessaire, d'observer, d'analyser, de commenter, car tel est bien le sens premier que Littré donnait du mot « diplomatie ». Que l'univers ait rétréci par l'effet du progrès technique est une évidence, mais l'hétérogénéité reste la dominante du « village planétaire », et cette extrême diversité y est toujours source de tensions, d'incompréhensions, de malentendus, même entre États et peuples qu'anime une commune volonté de paix et de solidarité. L'exemple de l'Union européenne est à cet égard probant : malgré, pour les plus anciens, cinquante années de vie commune, les peuples d'Europe continuent de se mal connaître. Rien que de très normal entre nations dont l'identité a été forgée par des siècles d'inimitiés et de conflits, mais cela explique que la suppression des ambassades entre pays de l'Union, périodiquement évoquée, ne soit toujours pas à l'ordre du jour.

## Guerre et paix...

Dans ce monde en lente recomposition après les glaciations de la guerre froide, instable et fragile, jamais l'espace ouvert aux talents des diplomates n'a été aussi vaste, et jamais ce métier n'a requis autant de compétences, d'expérience et de sang-froid. Après la folie meurtrière qui a frappé les États-Unis, le 11 septembre 2001, jamais veillée d'armes et « négociation continuelle » n'auront eu autant besoin l'une de l'autre pour contraindre le monde à la paix.

Laissons à Jules Cambon le mot de la fin :

> Je ne connais pas de métier plus divers que celui du diplomate. Il n'en est point où il y ait moins de règles précises et plus de traditions, point où il faille plus de persévérance pour réussir et où le succès dépende davantage du hasard des circonstances, point où une discipline exacte soit aussi nécessaire et qui exige de celui qui l'exerce un caractère plus ferme et un esprit plus indépendant.

**François Scheer**

# La fin du modèle westphalien

François Heisbourg

La diplomatie française est placée devant un triple défi. Le premier auquel ont, peu ou prou, à faire face tous les États, est celui de la redéfinition de la politique étrangère à une époque caractérisée par l'érosion de la souveraineté telle qu'en avait été posé le principe au sortir de la Renaissance, notamment dans le cadre des traités de Westphalie (1648-1649). Dans le cas des États européens, et donc de la France, il s'agit ici tant de la montée en puissance des acteurs formant un début de société civile internationale que du partage de souveraineté à travers le processus d'intégration européenne. Le deuxième « challenge » – pour reprendre à dessein le mot américain – est celui résultant du rôle prépondérant exercé par les États-Unis sur la scène internationale, défi qui concerne toutes les puissances moyennes, et tout particulièrement celles ayant naguère exercé des responsabilités impériales durables et de grande ampleur, la France se trouvant ici en compagnie du Royaume-Uni et de la Russie. La troisième tâche a trait à la modernisation et à la restructuration de l'outil diplomatique français, lequel doit résister à la tentation d'un repli sur soi qui réduirait la capacité de notre pays de relever les deux premiers défis.

## Influence et puissance à l'ère de la post-realpolitik

Face à ces défis, le premier domaine où un changement s'impose concerne notre doctrine diplomatique, qui devrait profondément revoir la rhétorique tendant à promouvoir un monde multipolaire. L'on notera tout d'abord qu'il ne suffit pas de s'inscrire contre l'hégémonie ou l'hyperpuissance américaine, ou même contre un ordre unipolaire pour qu'il en découle automatiquement qu'un monde multipolaire soit l'alternative logique et souhaitable. Même en admettant qu'une vision metternichienne d'un ordre international fondé sur la polarité de quelques États souverains soit toujours d'actualité, il ne va pas de soi qu'un monde multipolaire soit forcément souhaitable, qu'il s'agisse de l'intérêt général ou de l'intérêt national français.

Ainsi, ce que nombre de nos partenaires auront retenu de l'expérience historique, c'est qu'un monde multipolaire hérité du modèle du concert des nations a hâté, plutôt qu'il ne l'a entravée, la marche au suicide de l'Europe en 1914, que « multipolaire » rime, certes pauvrement, avec « guerre ». Ensuite, pour beaucoup d'Européens, et cela est particulièrement vrai de petits pays, mieux vaut un pôle américain puissant mais bénin et lointain que l'étouffement résultant des étreintes de voisins moins puissants mais plus proches et plus envahissants.

Du point de vue de Paris, que pèserait au demeurant la France dans un système multipolaire de ce type, sauf à partir du principe que l'Union européenne ait pris suffisamment corps par rapport aux nations qui la composent pour peser face aux grandes puissances émergentes d'Asie ? Autrement dit, sur le fond, mieux vaudrait mettre en exergue la construction européenne, et cela dans toutes ses dimensions, plutôt que de mettre en avant un monde multipolaire plus refroidissant que mobilisateur. Parlons plutôt de rayonnement européen que de monde multipolaire.

Ce changement de registre a parmi divers avantages celui de ne pas exclure des acteurs non étatiques.

C'est ici que pourrait intervenir une seconde modification fondamentale dans notre comportement sur la scène internationale, à savoir l'intégration de notre politique non tant dans la vision traditionnelle d'un monde multipolaire d'États souverains que dans l'action de la société civile mondiale émergente. L'un des paradoxes, dont les origines tiennent à la tradition westphalienne et colbertiste, c'est que la France a tendance à rejoindre le gouvernement américain ou des pays comme la Chine quand il s'agit de défendre les prérogatives de l'État souverain – alors même qu'au jeu des « monstres froids » nous ne sommes plus vraiment de taille. Heureusement, et ceci compense cela, il s'agit d'une tendance plutôt que d'une fatalité. Ainsi, en mars 1998, la France s'est certes désolidarisée jusqu'à la dernière heure de l'ensemble de ses partenaires européens (dont un Royaume-Uni pourtant à cheval sur la souveraineté des États) et placée aux côtés de la Chine et des États-Unis pour refuser la création d'une Cour criminelle internationale (CCI). Jusqu'à la dernière heure mais pas au-delà, puisque nous nous sommes ralliés in extremis à nos partenaires, non sans, au passage, exiger et obtenir des clauses suspensives dans le traité qui ne pouvaient que nuire à notre image ; et, en dernière analyse, la France se trouve parmi les premiers pays à ratifier le traité portant création d'une CCI.

Face à l'acteur westphalien « hyperpuissant » que sont les États-Unis, notre stratégie ne doit pas être westphalienne, mais bien plutôt asymétrique. Elle doit s'appuyer, d'une part, sur les nouveaux acteurs non étatiques de la vie internationale que sont les ONG, d'autre part, et surtout, sur une Union européenne plus fortement intégrée.

Le point d'application fondamental d'une telle évolution concernerait les relations avec les États-Unis, puisqu'il s'agit de la seule superpuissance contemporaine autour de laquelle s'organise volens nolens le système international.

## France - États-Unis : la sortie d'une relation sadomasochiste

Les relations franco-américaines ne peuvent que fasciner l'observateur des questions internationales, tant est paradoxal, et parfois détonant, le mélange d'amour-haine, ou peut-être plus justement, d'attraction-répulsion, qu'elles recèlent. Une formule américaine en résume bien la tonalité générale : « We love to hate the French » – « Nous adorons détester les Français ». En sens inverse, les États-Unis sont l'objet préféré du rejet/désir de la France : nous sommes un pays dont les habitants se ruent dans les salles de cinéma pour regarder les dernières productions de Hollywood – dont certaines sortent dorénavant de studios appartenant à des capitaux français –, au McDo, tout en acclamant les actions musclées de José Bové contre cette entreprise et en défendant bec et ongles l'« exception culturelle » dans les négociations commerciales multilatérales. Ajoutons que cette combinaison des contraires vaut davantage à Paris qu'à Washington, puisque les États-Unis occupent naturellement dans les préoccupations françaises une place largement plus importante que la France n'en tient dans les réflexions américaines.

Cette situation a des racines anciennes, la relation entre Roosevelt et De Gaulle pendant la Seconde Guerre mondiale ayant établi les éléments fondamentaux de ce « modèle » de relations d'alliés antagonistes. De surcroît, du point de vue français mais aussi américain, cette relation paradoxale a pendant longtemps assez bien servi les intérêts nationaux des uns et des autres.

Cependant, après près de soixante ans de pratique, il devient nécessaire de mettre en cause le logiciel des relations franco-américaines. Cette nécessité est devenue un impératif urgent au lendemain des attentats du 11 septembre. Désormais, le style et le contenu traditionnels des relations franco-américaines desservent les intérêts bien compris de la France. Les données actuelles de la construction européenne, qui s'étend désormais aux questions de défense ; l'adaptation tardive mais substantielle de l'Alliance atlantique aux conditions de l'après-guerre froide ; et la transformation profonde des relations internationales sous l'effet de la révolution postindustrielle : tout cela rend de plus en plus contre-productif le modèle de relations établi entre la France et les États-Unis depuis le début des années 1940. De plus, l'on maintiendra que cela est davantage vrai du point de vue de Paris que de celui de Washington, et cela pour une raison objective : les États-Unis, pays-continent, peuvent s'accommoder infiniment plus facilement que la France de la poursuite des relations « à l'ancienne » entre Paris et Washington ; de même, l'impact négatif de telles relations franco-américaines sur la construction européenne sera directement ressenti à Paris plutôt qu'à Washington.

Avant de développer cette thèse, il est bon de rappeler quelles sont les sources du malentendu franco-américain.

Tout d'abord, et cela était déjà manifeste dans la relation De Gaulle-Roosevelt, il y a la situation symétrique, c'est-à-dire égale mais parfaitement opposée, entre un pays faisant face à une perte radicale d'empire et un État dont l'*imperium* est non seulement intact mais dont la prépondérance est à la mesure de la perte d'empire d'autrui. Le pays en perte d'empire aura, et tel fut le cas sous De Gaulle, volontiers pour premier souci de manifester son existence, étape indispensable dans la reconquête d'une place au soleil : dans le cas d'impuissance extrême, et peu de groupes étaient initialement aussi démunis de tout que la minuscule et admirable cohorte de « Français libres » établie à Londres à partir de l'été 1940, cette affirmation de soi passe entre autres par la manifestation de sa capacité de nuisance par rapport aux projets du partenaire prépondérant. Ainsi, la politique de Roosevelt fut de reconnaître Vichy jusqu'en novembre 1942, puis de miser sur Darlan et enfin sur Giraud. De Gaulle, en sus de toutes les autres raisons qu'il pouvait avoir en la matière, se devait de dénoncer et, dans la mesure de ses moyens, d'entraver cette politique. Comme, par ailleurs, les États-Unis étaient en même temps le pays par lequel passerait obligatoirement la libération du territoire, cette opposition à la politique américaine devait être conduite simultanément aux actions destinées à nourrir une alliance indispensable, à travers ce que la France combattante pouvait apporter sur le plan géostratégique (tel l'accès des alliés aux colonies ralliées à De Gaulle). Le couple « antagonisme-soutien » remonte donc bien à cette époque, préfigurant ses répliques ultérieures, telles que le soutien sans faille de De Gaulle dans la crise des fusées de Cuba d'une part et la sortie de la France de l'OTAN intégré d'autre part.

À l'inverse, les États-Unis ne pouvaient ni comprendre ni admettre que le plus faible puisse se mettre en travers de leur chemin. Et nous retrouvons l'exacte réplique de l'incompréhension de Roosevelt envers De Gaulle dans l'extrême difficulté que peut avoir Washington aujourd'hui à accepter de la part d'un allié de second rang un discours opposé au sien en ce qui concerne l'organisation du système international.

Pendant longtemps, ce mode de fonctionnement a été dans l'ensemble bénéfique du point de vue de la France : d'abord, l'accentuation des différences a permis d'exister, ce qui était pour De Gaulle une question de vie ou de mort politique face à Vichy ou à Giraud. Et, au-delà du sort de la France libre, cette affirmation de soi permettait au pays de surmonter tant bien que mal le traumatisme le plus sévère de son histoire, que fut la défaite de 1940 et l'humiliation de l'Occupation ; il facilita aussi, par la suite, le deuil d'empire consécutif aux guerres de décolonisation. Ensuite, les circonstances du moment – guerre mondiale d'abord, guerre froide ensuite – ont permis à la France de maximiser sa valeur de nuisance et donc d'élargir sa marge de manœuvre. De fait, notre pays acquérait des positions diplomatiques, politiques et économiques importantes dans le tiers-monde (notamment dans le monde arabe), et en termes de rapports avec l'URSS, sans qu'en souffre notre place de leader dans la construction européenne, cependant que notre sécurité était assurée à un coût raisonnable par la double garantie de l'Alliance et de la force de dissuasion. À partir de 1990, les conditions qui fondaient cette valeur de nuisance ont à peu près complètement disparu, ce qui devrait conduire à un changement de portage. L'on y reviendra.

Le second facteur explicatif des rapports franco-américains tient à la prétention qu'ont la France et les États-Unis de se poser chacun en vecteur privilégié de valeurs à portée universelle dont ils seraient les représentants les mieux qualifiés, non sans interférer avec la tendance, non moins forte à Paris comme à Washington, à s'en tenir à une « realpolitik » à l'ancienne. La patrie des droits de l'homme et le champion de la démocratie se trouvent en concurrence de fait, ce qui peut déboucher sur des incohérences.

Un double exemple récent illustrera le propos. À l'automne 1999, la France se distingue tant des États-Unis que de ses partenaires de l'Union européenne de par le ton employé, et le contenu, pour dénoncer les manquements de la Russie aux droits de l'homme en Tchétchénie. Il nous en coûta au plan des relations franco-russes mais la France a été fidèle à sa mission autoproclamée. En juillet 2000, les États-Unis et la Pologne organisent à Varsovie un sommet de 107 pays (dont la France) supposés engagés dans la voie de la démocratie. La France s'est singularisée en refusant d'adopter un vague communiqué qui avait à son sens le défaut de plaider l'extension de la démocratie. Paris considérait qu'il n'appartenait pas à des États de promouvoir la démocratie dans d'autres États souverains. Le paradoxe, c'est que la Russie ne voyait pour sa part pas d'inconvénient au communiqué. Dans la pratique, la France n'avait pas supporté, contrairement aux cent six autres pays participants, parmi lesquels des États peu suspects de philo-américanisme, comme l'Inde et la Russie, de s'aligner sur un projet d'origine américaine.

L'expression « relation sadomasochiste » a été employée en sous-titre. Apparemment outrancière, elle se justifie. En effet, les conditions ont cessé d'exister de par lesquelles la France pouvait avancer ses intérêts dans les termes où elle a pu le faire non sans profit – et dans le cas des années 1940-1944, non sans impérieuses raisons de survie – pendant plus d'un demi-siècle. En s'en tenant au seul registre des rapports de force entre États ayant une vision classique, westphalienne, de leur souveraineté, la France se situe aujourd'hui dans un contexte où sa valeur de nuisance est démonétisée, où la vigueur de ses imprécations ne suscite que peu d'adhésions qui nous soient profitables et où sa quête d'un monde multipolaire risque d'être vaine, voire néfaste. Cela suffirait à bâtir une métaphore donquichottesque. Le passage au sadomasochisme suppose qu'intervienne de surcroît un principe de plaisir. Or, tel est parfois le cas : la France prend parfois son plaisir à affronter les États-Unis, tout en sachant qu'elle n'obtiendra pas gain de cause ; c'est le plaisir masochiste. Et les États-Unis, qui « adorent nous détester », trouvent quelque jouissance à voir confirmer tout à la fois les préjugés qu'ils nourrissent à notre encontre, et la réalité de notre isolement. Voilà pour le sadisme. Et le tout est stérile. La réunion de Varsovie citée plus haut fut un bon exemple de cette complémentarité des plaisirs stériles. Le problème est qu'il y a depuis la fin de la guerre froide un prix bien réel à payer et ce prix s'est brutalement accru après les attentats du 11 septembre : les États-Unis ne jouent plus...

Dans sa réflexion sur l'adaptation de sa politique vis-à-vis des États-Unis, la France pourrait méditer utilement sur l'exemple que constitue le Canada, que la géographie et la disparité de ses moyens placent a priori dans une situation de dépendance extrême à l'égard des États-Unis, du moins si l'on s'en tient à une vision interétatique traditionnelle. Or le Canada a acquis des marges de manœuvre considérables à l'égard des États-Unis, souvent au grand dam de Washington, en opérant une synergie systématique avec les ONG, les entreprises et le multilatéral onusien. Du côté des ONG, c'est par exemple le traité d'Ottawa interdisant les mines antipersonnel, fruit des efforts conjugués des organisations humanitaires concernées et du gouvernement canadien ; de même, le Canada conduit une politique active d'aide publique au développement, en liaison étroite avec « ses » ONG, occupant un terrain d'autant plus dégagé que les États-Unis, metternichiens jusqu'au bout des ongles, n'investissent plus guère dans des instruments d'influence relevant du « *soft power* ». Du côté des entreprises, le gouvernement d'Ottawa joue sur le fait que certaines des sociétés canadiennes sont de classe mondiale, notamment dans le domaine minier ou celui des télécommunications, avec une politique active d'investissements dans des pays que les États-Unis ne portent pas dans leur cœur, tel Cuba. La France dispose certes d'autres atouts et subit moins de contraintes que le Canada, mais l'on peut tirer de l'exemple canadien quelques idées sur ce que peut être une politique étrangère « post-westphalienne ». Entre autres leçons, il y a le fait que, à travers la recherche de synergies avec les ONG et les entreprises, le gouvernement canadien a su développer un espace de liberté : l'interdiction des mines antipersonnel et le contournement des sanctions envers Cuba ne sont évidemment pas populaires à Washington. Cela n'empêche pas le Canada d'être un allié à part entière, que les États-Unis traitent peut-être avec plus de ménagement que ce ne serait autrement le cas, précisément parce qu'il a su s'imposer à travers un assez large réseau d'influence. Ajoutons qu'un tel jeu n'implique pas que l'on doive parer les ONG de toutes les vertus. Mais la realpolitik du XXI<sup>e</sup> siècle consisterait précisément à prendre les ONG telles qu'elles sont (souvent sans légitimité démocratique) plutôt que de nourrir le vain désir qu'elles soient différentes.

La comparaison avec le Canada a évidemment ses limites. Mais les différences de situation entre le Canada et la France sont largement à l'avantage de notre pays : celui-ci ne vit pas aussi directement à l'ombre économique et stratégique des États-Unis, il dispose de moyens économiques, politiques et militaires très supérieurs à ceux du Canada ; et, surtout, la France est adossée au vaste ensemble que forme l'Union.

Pour résumer, il ne servirait pas à grand-chose à la France de tenter d'imiter les États-Unis dans leur attachement au modèle westphalien de définition de la souveraineté des États : à ce jeu-là, le rapport de force nous contraindrait soit à l'alignement sur Washington, soit à des défaites à répétition, ou plus vraisemblablement aux deux à la fois.

Notre action gagnerait à suivre plusieurs principes découlant des analyses qui précèdent :

– améliorer substantiellement notre connaissance et notre compréhension des États-Unis et de la société américaine. La récente élection présidentielle américaine, avec ses bouleversements étonnants, aura rappelé, entre autres, combien est spécifique et complexe la fédération américaine ;

– n'aller à la confrontation qu'en dernier recours, et non en premier, et cela au débouché d'une appréciation exacte tant des enjeux que de notre capacité à créer un rapport de force favorable. Le propos peut paraître général, mais des exemples pratiques permettent de l'illustrer (cf. *supra*) ;

– jouer à fond la dimension européenne, en prenant soin cependant de ne pas perdre de vue la dose de subtilité que cela suppose, en reconnaissant notamment que l'Union n'a pas principalement pour vocation de constituer un pôle se définissant par opposition aux États-Unis ;

– abandonner la vision d'un monde multipolaire « à la sauce Metternich », et rechercher systématiquement la synergie, sur la base de valeurs communes, non seulement avec nos partenaires européens à travers l'Union européenne, mais également avec le réseau d'acteurs non étatiques qui sont un véritable contre-pouvoir à l'exercice débridé de l'hyperpuissance westphalienne américaine ;

– partir du principe que non seulement les intérêts spécifiquement français sont de moins en moins importants par rapport à un ensemble d'intérêts partagés par nos partenaires européens, mais aussi intégrer le fait, à l'inverse du système international du siècle de Metternich, Palmerston et Bismarck, que les intérêts ont moins de permanence que les valeurs dans la définition de l'action internationale de nos sociétés.

## Les outils du futur

À ces changements d'attitude et de posture doivent correspondre des réformes transversales. En la matière, le début de la sagesse consisterait à reconnaître que l'européanisation et la mondialisation entraînent inévitablement un engagement croissant d'à peu près toutes les autres parties de l'État dans l'action diplomatique. Le Quai d'Orsay, plutôt que de subir, aurait intérêt à encourager les plus hautes instances de l'État à organiser l'ouverture et le partage des compétences.

Ensuite, la pratique de l'État français continue trop souvent d'être caractérisée par une certaine distance à l'égard des ONG et des instituts de recherche : il est rare que l'État cherche à travailler de lui-même en symbiose durable avec de tels acteurs. Observons au passage que c'est probablement le ministère de la Défense qui est le plus ouvert aux ONG, comme aux instituts de recherche. D'une part, ces acteurs apportent leur expertise à ce ministère qui a su tisser les liens correspondants ;

d'autre part, parce que ONG et militaires travaillent côte à côte dans la plupart des théâtres d'opération de l'après-guerre froide. Le Quai aurait tout intérêt à emprunter une telle voie avec plus de vigueur que cela n'a été le cas jusqu'ici.

Autre piste : la mise en place d'un système de *formation continue aux réalités internationales*, ouvert aux diplomates comme aux non-diplomates, adossé au monde universitaire et aux *think tanks*, de manière à faciliter l'immersion des diplomates dans le vivier plus large des acteurs de l'international, eux-mêmes bénéficiaires de cette formation. Cette réforme proposée par le « rapport Heisbourg[1] » a reçu un début d'application en 2001 avec la création d'un Institut d'études diplomatiques. Cet essai, encore timide, doit être transformé et amplifié.

Enfin, et de façon plus générale, nous avons dorénavant intérêt au *rapprochement entre le modèle étatique français et la pratique de nos voisins européens*. Une diplomatie affirmant sa singularité, une défense refusant l'intégration dans quelque organisation multilatérale que ce soit, et un ensemble d'entreprises largement étatisées dépendant de l'exportation d'armements, du pétrole et de grands contrats d'équipement : ce « triangle de fer » colbertiste hérité de l'époque de la guerre froide avait sa cohérence et son efficacité en d'autres temps. À l'ère de l'économie de réseau où règne le marché, notre salut se trouve dans la capacité de l'État à intervenir sur les régulations du système international, capacité que peut seule nous donner la dimension européenne face à l'hyperpuissance et surtout à l'hyperinfluence américaine.

Si nous pouvons difficilement rivaliser avec les États-Unis dans un jeu de rapport de puissance traditionnel, il n'en va pas de même de la projection de l'influence, l'Europe étant largement dotée en la matière.

Désormais, la puissance vraie passe aussi par le maniement des outils de l'influence : il faut être influent pour être puissant.

**François Heisbourg**

---

1. Rapport au Premier ministre sur l'enseignement et la recherche en relations internationales et affaires stratégiques, juin 2000 (consultable sur www.pm.gouv.fr/ressources/fichiers/rapheisbourg. doc).

# Être ambassadeur auprès de la première puissance mondiale

Jacques Andréani

Rien n'est plus exaltant que de servir comme ambassadeur de France aux États-Unis, mais il existe des métiers qui sont moins difficiles.

C'est que les États-Unis sont une nation aux certitudes bien ancrées – leurs citoyens éprouvent un sentiment de supériorité morale et croient fermement à l'excellence de leur système politique et économique – mais elle a aussi des dimensions vastes, des composantes multiples et des structures moins simples qu'il n'y paraît tout d'abord. Quand il y arrive, l'ambassadeur voit la richesse, la diversité, l'énergie créatrice, la lutte permanente pour la réussite et l'influence. Ce qu'il trouve plus difficilement, c'est le pouvoir.

Lorsque j'étais ambassadeur en Égypte, j'avais affaire à un système qui ne comportait qu'un décideur, le président Sadate. Tout le problème était de comprendre ce qu'il voulait, quels arguments pouvaient le toucher, quelles personnes étaient susceptibles de l'influencer. Aux États-Unis, le président est loin de détenir un tel monopole. Les décideurs sont légion. Cela complique singulièrement le travail.

Surtout quand il vient de Paris, où l'on aime le pouvoir compact et structuré, l'ambassadeur voudrait avoir en face de lui un pouvoir qui lui dirait à quoi s'engagent les États-Unis, quels moyens ils mettront en œuvre, quelles difficultés ils prévoient, comment ils envisagent d'y faire face. On lui donne ce genre de réponse pour les grandes affaires. C'est le message que j'ai reçu de George Bush au sujet de la réunification de l'Allemagne et dans la crise du Golfe, de Clinton à propos des relations économiques transatlantiques et de l'élargissement de l'OTAN.

Dans d'autres grandes affaires, j'ai trouvé le pouvoir ostensiblement divisé. En 1993-1994, quand on allait chez le vice-président Gore, on savait que l'on allait chez les militants des actions de force contre la Serbie, et qu'on n'y entendrait pas le même discours qu'à la Maison-Blanche.

D'une façon générale, le pouvoir aux États-Unis est très morcelé. Les deux principales causes de ce morcellement sont le rôle du Congrès et le système fédéral.

Les États-Unis sont le seul pays où la politique étrangère soit faite en grande partie par voie législative. Il se présente des cas où il est vain de s'interroger sur la stratégie du chef de l'exécutif, car le chef de l'exécutif n'est pas complètement libre de ses choix de politique étrangère. Il existe dans l'arsenal législatif américain plus de deux cents textes qui traitent des sanctions économiques envers d'autres pays. Ces textes lient les mains du président. Avec tel pays, il ne peut conclure un accord commercial. À tel autre, il ne peut octroyer le bénéfice des ventes subventionnées de produits agricoles. À propos d'un troisième, il est tenu d'assurer annuellement le Congrès qu'il ne pratique pas le terrorisme d'État, qu'il a pris des mesures contre le trafic de drogue, la corruption ou la prolifération des « armes de destruction massive ».

La première démarche à laquelle j'ai procédé sur instructions de Paris comme ambassadeur consistait à presser le gouvernement des États-Unis de ratifier une convention multilatérale sur la pollution des mers par les hydrocarbures. Le directeur de département auquel je m'adressai me répondit que le Département d'État jugeait, comme nous, cette ratification plus que souhaitable, mais qu'il y avait des difficultés au Congrès et il m'a conseillé d'en parler au *leader* de la majorité du Sénat. Je m'en fus donc voir ce puissant législateur, et je lui dis que je comprenais qu'il y avait un problème pour cette ratification. « Le problème, c'est moi ! », s'écria le sénateur, en m'expliquant les raisons, honorables certes, mais tenant strictement à des considérations mineures de politique locale, qui le retenaient de mettre aux voix le texte en question.

Dans tout problème un peu complexe, les explications et plaidoyers fournis aux responsables de la Maison-Blanche et du Département d'État doivent se doubler d'une approche du Congrès. Quand j'ai expliqué, après l'arrivée de M. Balladur à Matignon en 1993, les changements que la France voulait apporter à l'accord en préparation sur le volet agricole de l'Uruguay Round, j'ai passé trois fois plus de temps au Congrès qu'avec les responsables de l'administration.

Ces approches doivent être multiples. En effet, la répartition extrêmement diluée des responsabilités à l'intérieur même du Congrès constitue un facteur supplémentaire d'éparpillement du pouvoir. Autrefois, le Sénat était presque la seule chambre concernée par les affaires extérieures. La Chambre des représentants ne s'y intéressait que dans la mesure où les engagements des États-Unis impliquaient des dépenses budgétaires. De nos jours, les représentants tiennent à faire plus ou moins jeu égal avec le Sénat. Le fractionnement du pouvoir se voit aussi dans la déperdition du principe d'ancienneté. Autrefois, le Sénat était contrôlé par un petit nombre de sénateurs âgés, présidant les principales commissions, presque tous des démocrates conservateurs du Sud, aptes à s'entendre avec le président, qu'il soit démocrate ou républicain. Si Eisenhower voulait lancer une initiative de politique étrangère, tout ce qu'il avait à faire était de parler à six ou sept sénateurs (qui s'appelaient Fulbright, Mansfield, Vandenberg, George, Russell, etc.). Pareillement, un ambassadeur pouvait concentrer ses efforts sur un nombre réduit de cibles. De nos jours, il faut toucher des interlocuteurs plus nombreux.

Or le sénateur ou le représentant est si occupé par les affaires de sa circonscription qu'il a peu de temps à consacrer aux ambassadeurs. Les parlementaires ont gagné en pouvoir, mais n'ont pas acquis la disponibilité qui devrait aller avec lui. Le contact international n'est pas à la mode chez les hommes politiques américains d'aujourd'hui. À un moment où le pouvoir est observé de façon soupçonneuse par un public prêt à relever le moindre bénéfice personnel, et où cette recherche de pureté amène à réagir contre tous les privilèges, même minimes, des parlementaires – y compris leur droit à des emplacements de parking réservés à l'aéroport de Washington –, le voyage à l'étranger d'un législateur est dénoncé par certains comme un abus des deniers du contribuable. Le parlementaire voyageur risque d'attirer sur lui les foudres de la presse. Il en résulte qu'il est devenu de plus en plus difficile d'inviter des sénateurs ou des représentants à l'étranger, et, réciproquement, ils ont peu de temps pour leurs collègues de passage.

La décentralisation, dont le système fédéral est l'aspect constitutionnel, est une autre dimension du morcellement du pouvoir. Les États-Unis sont un pays sans capitale. À Washington, il fait bon parler politique – c'est le seul sujet de conversation, mais c'est un sujet inépuisable et les variations que l'on y consacre sont parfois brillantes. Pour parler d'autre chose, c'est-à-dire d'affaires, de spectacles, de sciences, d'art, il faut aller ailleurs. Le nomadisme est donc un aspect inévitable de la vie de l'ambassadeur. Il sait aussi qu'il est mieux, afin d'établir un vrai contact avec les politiciens qui exercent leur activité à Washington, d'aller les voir dans leur État. Le séjour de trois ou quatre jours à New York pour des manifestations culturelles, économiques ou simplement mondaines est une obligation au moins mensuelle, sinon plus, au demeurant agréable et vivifiante. Il faut voir les autres grands centres, et s'efforcer d'y bâtir des contacts qui deviennent personnels et qui peuvent être suivis sur un plan amical. Ces séjours sont le seul moyen de sentir directement l'état d'esprit des différentes parties du pays. J'ai gardé une sensation vive de l'optimisme indéracinable de la Californie en 1990, malgré des difficultés économiques qui avaient frappé cet État plus que d'autres, ou de la mauvaise humeur des pétroliers texans en 1992, qui accusaient George Bush père de les avoir laissé tomber, alors qu'il avait fait pour eux à peu près tout, à l'exception des bienfaits que son fils va maintenant leur prodiguer.

La diversité américaine tient aussi à la multiplicité des origines nationales, ethniques et religieuses. Celle-ci influe sur la politique par le biais de ce qu'à l'extérieur des États-Unis on appelle improprement les « lobbies ». Pour les besoins de l'analyse, l'ambassadeur doit connaître ces influences. Pour les besoins de son action, il doit savoir adresser un discours adapté à ces différents groupes. Frappé par l'incompréhension profonde de beaucoup de juifs américains vis-à-vis de la situation en France pendant la guerre et convaincu que cette perception était la cause d'une partie importante des malentendus franco-américains actuels, je me suis attaché à exposer devant des associations juives l'histoire et le rôle de la communauté juive française, de leur faire comprendre ce qu'était la situation du pays dans les années de guerre, ce qui est difficile pour une nation qui n'a jamais connu d'occupation étrangère, et de dissiper la légende selon laquelle la France n'avait jamais voulu, jusqu'à une date récente, affronter ce passé. Discours difficile, souvent tenu dans un certain climat de tension ; discours utile, certainement.

L'autre difficulté de la tâche tient au maniement assez lourd de l'appareil administratif mis à la disposition de l'ambassadeur. À juste titre, les pouvoirs publics lui accordent des moyens hors de proportion avec ceux mis à la disposition de ses collègues dans beaucoup d'autres pays. Il dispose de plus de trois cents collaborateurs, et ne s'en plaint pas, tant la tâche est ample et complexe. Mais il en résulte qu'au travail d'analyse politique et de contact se superpose une importante charge administrative. Il faut faire circuler l'information entre tous ces fonctionnaires et coordonner leur action.

Une partie seulement viennent du Quai d'Orsay : une dizaine de diplomates de carrière, qui composent ce que l'on appelle la chancellerie diplomatique, le service du chiffre et des communications, un service administratif, un gros service de presse et d'information, dirigé par des diplomates mais peuplé de contractuels, dont un certain nombre d'Américains, un service culturel et scientifique étoffé, majoritairement situé à New York avec des antennes auprès des consulats. À côté de ces fonctionnaires dépendant du Quai d'Orsay, des services répondant à d'autres ministères : ministère de la Défense, ministère de l'Économie et des Finances, qui entretient à la fois un chef du service de l'expansion économique et un conseiller financier, plus un représentant des douanes et un des services fiscaux, agriculture, affaires sociales, au double titre de la santé et du travail, ministère de l'Intérieur pour la répression du trafic de narcotiques, DGSE.

Cette diversité serait ingérable si l'on n'avait pas réuni tous les services dans les mêmes locaux. Cette amélioration indispensable est relativement récente : elle date d'une quinzaine d'années.

Mais l'unité de lieu ne suffit pas. Il faut assurer l'unité d'action. Les attachés et conseillers spécialisés sont tenus par le décret sur les pouvoirs des ambassadeurs de 1978 d'informer le chef de poste de leur correspondance avec les départements ministériels dont ils dépendent et il doit approuver leurs instructions. Cette règle est généralement observée, dans son esprit, sinon à la lettre. L'ambassadeur doit y veiller dans les entretiens qu'il accorde régulièrement aux chefs de service, et dans la conférence hebdomadaire qui les réunit. Il lui faut lutter contre les doubles emplois. J'avais constaté que le service chargé des ventes et

achats d'armements, les services du conseiller financier, son collaborateur spécialisé pour les questions fiscales, le poste de l'expansion économique et enfin la chancellerie diplomatique disposaient chacun d'un
groupe de collaborateurs spécialisés dans les relations avec le Congrès.
Cette pluralité était dans une certaine mesure justifiée, car ce n'était pas
la même partie du travail législatif qui intéressait ces différents services.
Mais une coordination paraissait nécessaire, j'ai donc institué dans l'intérêt de tous un échange régulier entre ces agents, dont le réflexe normal, comme celui de tout fonctionnaire, eût été de garder chacun ses
informations par-devers soi et de ne partager les contacts qu'avec la plus
grande parcimonie.

L'immensité et la diversité du pays rendent malaisée l'analyse de la
situation, tâche essentielle de l'agent diplomatique. Comment donner
au faisceau d'informations, de commentaires et de synthèses que Paris
attend de l'ambassade, la rigueur et l'homogénéité sans lesquelles il ne
serait pas utile aux autorités françaises ? Alors que dans certains pays la
vie politique est impossible à déchiffrer parce que la connaissance des
faits est séquestrée par une clique minuscule, on souffre à l'inverse aux
États-Unis d'une pléthore d'informations, dont la masse rend épuisant
l'indispensable travail de tri et de hiérarchisation des données brutes.
D'autant plus que la réalité américaine est diverse, complexe et multiforme. Il faut se garder de la « surinformation », mais aussi de la « sur-
interprétation », et maintenir une distance avec les analyses que font les
Américains de leur propre pays. En effet l'Amérique a d'elle-même une
idée qui est loin d'être dépassionnée. Tantôt elle se voit comme supérieure et invincible. Tantôt elle imagine qu'elle est aux prises avec des
menaces dont elle exagère fortement la gravité, qu'il s'agisse de concurrence commerciale ou de vulnérabilité aux agressions supposées des
petits pays.

Rivés sur le court terme, particulièrement en économie, les Américains en déduisent, sans souci des proportions, des jugements sur le
moyen et le long terme. Ces raccourcis faussent les perspectives.

Quant au déchiffrement de la politique extérieure des États-Unis, il
constitue une tâche à la fois très simple et très complexe. Très simple
parce que tout est ouvert. Même sur les opérations des services secrets,
le Sénat et la Chambre sont informés et débattent, certes à huis clos,
mais quelque chose peut en transparaître. Dans les fréquentes querelles
entre le Département d'État, le Pentagone, le Conseil national de

sécurité et les services de renseignement, il arrive plus d'une fois que ceux qui sont sur le point de perdre la partie recherchent l'arbitrage de l'opinion en recourant à la technique de la « fuite », qui porte devant le public la décision que veut empêcher l'auteur de l'indiscrétion. Les autres peuvent répondre par des « contre-fuites », et le risque devient grand de se perdre entre des quantités de pistes contradictoires. Naturellement, dans une ville où tous parlent volontiers de politique extérieure, le travail est facilité par la quantité illimitée d'interlocuteurs auprès desquels on peut rechercher des indications. On peut ainsi indéfiniment tester les informations données par l'un en les essayant sur l'autre, et rechercher les réactions d'un troisième sur les éléments fournis par les deux premiers. Dans ce travail, le diplomate doit garder à l'esprit un certain nombre de règles.

Première règle : l'information donnée par un journaliste n'est jamais gratuite. Elle implique à un moment quelconque un « retour d'ascenseur », quelque chose que vous ferez pour votre informateur.

Quant à l'indication venue d'une source officielle, si elle vous est donnée en contravention à une règle de confidentialité, il y a lieu de s'interroger sur les motivations de votre « source ». Il peut s'agir d'une variante de la « fuite » à la presse, épisode d'une bagarre entre administrations. Ou alors l'intention est de préparer l'annonce d'une décision imminente en testant les réactions à l'avance. Si l'on interprète ainsi la confidence, il est important de la transmettre à Paris, avec, comme on dit dans les télégrammes diplomatiques, les « réserves d'usage ».

La troisième règle est d'avoir toujours à l'esprit une hypothèse centrale, un fil conducteur, dont on se sert pour analyser les informations. C'est particulièrement nécessaire lorsqu'il s'agit d'affaires de première importance, et notamment de l'évolution sur quelques mois d'une crise majeure. Prenons pour exemple la crise du Golfe en 1990-1991. Lors de la réaction américaine à l'invasion du Koweït, j'avais été frappé par le déploiement militaire massif décidé dès les premiers jours et par la nature des équipements qui en constituaient le cœur : missiles de croisière, bombardiers stratégiques. Ce n'étaient pas là les armes défensives adaptées aux buts proclamés à ce moment : défense de l'Arabie saoudite, application de l'embargo contre l'Irak, traitement de tout incident résultant des prises d'otages et autres brutalités irakiennes. Cela m'avait amené à prendre pour principe d'explication l'idée qu'une action militaire forte destinée à reconquérir le Koweït et à détruire l'armée irakienne constituait pour le président Bush l'issue de crise la plus vraisemblable. Le discours public était : « Nous attendons que les sanctions amènent Saddam Hussein à céder. Si au bout de quelque mois il ne l'a pas fait, nous passerons éventuellement à d'autres moyens. » Mais le sous-texte privilégiait dès le départ l'option militaire.

Une fois retenue comme hypothèse de travail, cette interprétation éclairait par avance et permettait d'évaluer sans retard les premiers signes d'un changement du discours officiel, que l'administration donna entre le milieu et la fin d'octobre 1990 dans une progression bien dosée : mise à l'étude de l'envoi de nouveaux renforts dans un but de rotation des personnels ; puis indication que ces renforts ne serviraient que partiellement à des remplacements, et que la plus grande partie d'entre eux constituerait une augmentation des effectifs ; considérations partagées avec la presse sur l'impossibilité de réaliser une opération militaire d'envergure passé une certaine date – ramadan, puis pèlerinage ; insistance sur le coût élevé du maintien durant une longue période de l'énorme force stationnée dans le Golfe. De fait, après quelques jours encore, le quasi-doublement du corps expéditionnaire était annoncé en même temps que l'hypothèse d'une opération de reconquête prenait la place centrale dans la politique de Washington.

Bien entendu, le dialogue avec les responsables constitue l'ingrédient le plus substantiel de la nourriture politique de l'ambassadeur. Pendant cette période, j'ai vu régulièrement les principaux dirigeants, depuis le président jusqu'aux directeurs du Département d'État et du Pentagone, sans oublier le général Powell, chef d'état-major, le contact le plus permanent étant maintenu avec le général Scowcroft, conseiller de George Bush pour la sécurité nationale. L'officiel ne se défait jamais tout à fait de la langue de bois. Mais l'utilité de bons rapports personnels, c'est que la langue de bois peut être nuancée, humanisée, en quelque sorte, ces légers écarts étant autorisés par le sourire ou le clin d'œil du général Scowcroft ou de tel autre responsable. Je cite Scowcroft car il était particulièrement doué pour ce jeu où l'on s'entendait à demi-mot, et où la moitié non dite avait quelquefois presque autant d'importance que l'autre. Scowcroft est un mormon, mais c'est un mormon doté du sens de l'humour – cela existe –, un sens de l'humour dissimulé, presque imperceptible, mais très réel. Naturellement, ce dialogue officiel n'aurait pu porter tous ses fruits si je ne l'avais abordé fort des renseignements obtenus de diverses sources, et de mon « hypothèse centrale », dont il fallait toujours vérifier le bien-fondé au fur et à mesure, mais qui, dès lors que les événements ne l'infirmaient pas, continuait à me servir de discriminant.

La première utilité de tout ce travail est de fournir au président de la République, au Premier ministre et au ministre les éléments d'information et de réflexion qui éclaireront leur prise de décision. C'est l'occasion d'un dialogue. L'ambassadeur ne doit pas travailler à l'aveugle. Il est indispensable qu'il sache sur quels points il est utile de compléter l'information des autorités françaises, et il est préférable qu'il ait à l'avance quelque idée de la direction vers laquelle elles s'orientent, afin d'anticiper les réactions et de préparer le terrain. La première condition est plus facile à réaliser que la seconde, car nul dirigeant politique n'aime à livrer ses intentions par avance. Même la simple détermination des sujets sur lesquels on souhaite des indications – ce que les services de renseignement appellent la « liste d'objectifs » – fait rarement l'objet de questionnaires explicites, et les chefs de poste se plaignent trop fréquemment que Paris ne fasse pas écho à leurs télégrammes : « Vous êtes sur la bonne voie » ou au contraire « Ce que vous envoyez est déjà connu et ne présente pas d'intérêt, cherchez ailleurs » ou encore : « Ce que vient de vous dire Mme Albright nous intrigue, demandez telle ou telle précision. » Et il est vrai que, faute de temps, parfois occupée de façon excessive par des tâches de routine, l'administration centrale ne prend pas toujours la peine de dialoguer avec les postes à l'étranger. Comme toute administration, sa tendance naturelle est de fonctionner en circuit fermé, de ne voir et de n'écouter qu'elle-même, d'oublier ceux qui travaillent pour elle au loin. Elle doit se faire violence.

Washington, heureusement, n'est pas un poste que l'on oublie tout à fait à Paris. Je m'y rendais trois ou quatre fois par an, et beaucoup de mes collaborateurs y faisaient aussi des séjours. Souvent, à ces occasions, des réunions étaient organisées à l'Élysée ou aux Affaires étrangères avec les responsables les plus concernés par les relations franco-américaines. En outre, si les télégrammes officiels de Paris entretenaient assez rarement le dialogue, en revanche celui-ci était abondamment fourni par des correspondances personnelles entre moi-même ou les autres membres de l'ambassade et les responsables parisiens. Là encore, il fallait que tous, dans cette grande ambassade, partagent l'information. Les lettres, même personnelles, qui traitaient d'affaires touchant les services devaient être photocopiées, devaient circuler ; j'y veillais.

Outre ce courant d'informations et d'analyses circulant en direction de Paris, l'autre grande mission de l'ambassadeur et de ses services consiste à donner au public américain une image de la France et à laisser une trace dans l'esprit de ceux qui comptent. Or les Américains s'intéressent assez peu à ce qui se passe en dehors des cinquante États ; quant à ceux qui comptent, il n'est pas toujours facile de capter leur attention.

L'Amérique est de plus en plus absorbée par ses propres problèmes. Il ne s'agit pas du « retour à l'isolationnisme » que l'on prédit à intervalles réguliers. Mais plutôt du fait que, à mesure que les États-Unis voient grandir leur puissance, ils éprouvent moins le besoin d'être à l'écoute des autres. Trente ans environ ont séparé mon premier séjour à Washington et le second comme ambassadeur. Le contraste est saisissant. Il y avait à la fin des années 1950 une curiosité pour les pays étrangers qui a pour une bonne part disparu. Il y avait une relative ignorance, certes, mais de la bonne foi, un désir de connaître. Les Nations unies n'étaient pas encore un terme insultant, comme cela tend à être le cas aujourd'hui. Il y avait dans les *high schools* et les *colleges* des petites villes des « mini-assemblées générales » où les jeunes gens se livraient avec sérieux à une simulation de la diplomatie multilatérale. Les préjugés envers les pays européens ne manquaient pas. Cependant leurs arguments étaient écoutés, même s'ils ne convainquaient pas toujours.

La quantité d'informations relatives à l'étranger que le *New York Times* fournit aujourd'hui à ses lecteurs est une faible fraction de ce que l'on trouvait dans ses colonnes il y a quarante ans. À cette époque, plusieurs pages étaient consacrées chaque jour à l'Amérique latine. Les élections en France, les crises ministérielles, si fréquentes alors, étaient souvent mentionnées en première page. À l'heure actuelle, un changement de Premier ministre en France ou en Italie, ou l'intervention du leader d'un pays important à la tribune des Nations unies font au mieux l'objet d'une dépêche de quelques lignes.

Les choses changent lorsque a lieu une crise capable de toucher la sensibilité du public. Mais le phénomène CNN ne doit pas tromper. Les chaînes traditionnelles – CBS, NBC, ABC – dominent encore en termes de chiffres d'audience, et leur couverture du monde extérieur est limitée. C'est par à-coups que le public s'indigne des manquements aux droits de l'homme et des catastrophes humanitaires, et son temps d'attention n'est pas très long.

L'attention portée par la presse aux événements internationaux est éminemment fluctuante. En conséquence, l'intérêt des médias pour des prestations éventuelles de l'ambassadeur est imprévisible. Des mois peuvent s'écouler sans qu'il soit sollicité. Puis, en l'espace de quelques jours, les télévisions demandent chaque jour à l'interviewer. C'est ce qui s'est produit pendant ma mission, durant la crise du Golfe, et, par la suite, lors de différents épisodes du conflit en Bosnie. En période de calme, mon travail avec la presse prenait surtout la forme de rencontres régulières avec des éditorialistes et des commentateurs bien choisis de la presse écrite.

Dans le contexte d'un affaiblissement de l'intérêt des Américains pour la scène politique internationale, l'attention portée à l'Europe a diminué plus que le reste. C'est dû au rapprochement des États-Unis avec leurs deux voisins, le Canada et le Mexique, à la montée de l'Asie dans leurs préoccupations, à la fin de la guerre froide, qui fait que l'Europe n'est plus l'enjeu mondial central. La complexité des situations issues de l'éclatement de l'Union soviétique et de la Yougoslavie, la prolifération des nouveaux États découragent l'attention. L'idée s'établit dans le public que les situations européennes ne sont pas claires, et qu'il serait mieux de ne pas s'y aventurer. La construction européenne est perçue comme un phénomène intéressant, de nature principalement économique, et dont les Américains ne voient pas toujours qu'il se déroule selon des schémas entièrement nouveaux.

Cette question de l'avenir de l'Europe a été pendant toute mon ambassade au cœur de malentendus récurrents entre les deux pays. Il s'agissait de savoir si le rôle principal dans l'organisation de la nouvelle Europe, dans l'accueil par l'Ouest des anciens pays communistes, dans l'établissement d'un nouveau système de sécurité, serait joué par l'Europe communautaire, comme le souhaitait la France, ou par l'OTAN, comme le voulaient les États-Unis. Il s'agissait aussi – mais les deux questions se rejoignent – de savoir si l'Union européenne, en se donnant une capacité politique et des possibilités d'action militaire, agirait de façon autonome, ou prendrait place dans un ensemble plus vaste, organisé autour de l'Alliance atlantique.

Derrière ce débat véritable apparaissaient tous les procès d'intention. Nous soupçonnions les États-Unis, à force de mettre l'OTAN à toutes les sauces, de chercher à limiter le rôle de l'Union européenne ; et les Américains, sincèrement ou non, prétendaient que nous étions motivés par l'intention de remettre en cause leur présence en Europe. Il fallait mener un combat permanent contre les fausses interprétations, qui se présentaient à tous les niveaux, sauf peut-être le plus élevé, car je n'ai jamais entendu ni Bush ni Clinton, à la différence de leurs collaborateurs les plus proches, mettre en cause les motivations des dirigeants français ou leur attachement à l'amitié franco-américaine. Il fallait aussi expliquer ce qui, dans le langage tenu à Paris, pouvait peut-être irriter inutilement. Quand on est au milieu de ces explications et contre-explications, on est loin du discours traditionnel sur Lafayette et Rochambeau, Pershing, le débarquement en Normandie et le plan Marshall. Pas trop loin tout de même, car le discours de l'amitié historique, maintes fois repris, a encore son plein écho, comme on le vit notamment lors du cinquantenaire du débarquement en Normandie. Ces rappels sentimentaux font partie de la panoplie qui est à la disposition de l'ambassadeur, et il est bien inspiré d'en jouer, dès lors qu'ils correspondent, comme c'est le cas, à des sentiments authentiquement éprouvés.

Les rapports franco-américains constituent un mélange enchevêtré de bons sentiments et de préjugés. Du côté américain, le souvenir des disputes passées, celles du temps du général De Gaulle en particulier, y tient une assez grande place. Du côté français, des préventions qui ont leur origine dans des situations dont beaucoup sont dépassées de longue date – la ségrégation raciale, l'appui aux dictatures, l'obsession anticommuniste – orientent parfois de façon quasi automatique un discours de critique et de dénigrement. De plus, la France voit les Américains comme des nouveaux venus, usurpant une place de leader mondial qui devrait revenir à des nations plus anciennes, instruites par une expérience historique, tandis que les Américains nous reprochent de résister au changement et de nous accrocher à des modèles politiques et sociaux dépassés. À nous de leur faire voir tout ce qui dans l'évolution si rapide de notre pays prouve notre ouverture au changement, et de leur faire comprendre que ce que nous rejetons, nous ne nous y opposons pas par un vain refus de la modernité, mais en raison de notre volonté délibérée de sauvegarder des valeurs culturelles et sociales auxquelles notre peuple ne se résignera pas à renoncer.

Sur cette base, le dialogue est difficile, certes, mais possible. La tâche est en tout cas extrêmement stimulante.

**Jacques Andréani**

# La protection de l'environnement : un exemple de diplomatie mondialisée

Philippe Zeller

*Vendredi 24 novembre 2000, La Haye.* Dans le vaste hall du Nederlands Congresgebouw qui abrite la sixième Conférence des parties à la convention-cadre des Nations unies sur les changements climatiques, délégués officiels, représentants des organisations non gouvernementales, industriels, journalistes, interprètes, personnels techniques et de sécurité se croisent dans un brouhaha permanent, allant de salles de réunion en bungalows des délégations, de conférences de presse en groupes de travail, dossiers et papiers sous le bras. Depuis dix jours, près de dix mille personnes sont rassemblées pour traiter des conditions de mise en œuvre du protocole de Kyoto qui a pour objet d'organiser la quantification de la régulation internationale des émissions de gaz à effet de serre. Il y a tant de monde, les lieux sont tellement vastes que pour se joindre il faut utiliser les téléphones portables. Symboliquement, le bâtiment est ceint d'une digue de sacs de sable, édifiée le week-end précédent par les membres d'associations de tous pays, inquiets, à juste titre, des menaces que fait peser le changement climatique sur notre planète ; sans digues, La Haye, comme une bonne partie des Pays-Bas, serait noyée sous les eaux de la mer du Nord. Que seront les années 2050, avec la montée inexorable du niveau général des océans, si des mesures drastiques contribuant à casser la courbe du réchauffement terrestre ne sont pas adoptées dès à présent par la communauté internationale ?

Nommé ambassadeur délégué à l'Environnement à peine quelques semaines auparavant, j'ai créé ma place petit à petit au sein de la délégation française forte d'une cinquantaine de personnes et dirigée par la ministre de l'Aménagement du territoire et de l'Environnement. Il m'a fallu, en quelques jours, apprendre les vocabulaires français et anglais des enjeux scientifiques, économiques, sociaux du réchauffement climatique, comprendre la structure des débats, m'imprégner des usages des Nations unies, me remémorer les tâches élémentaires du diplomate pour, par exemple, récupérer chaque matin la synthèse des débats de la veille, coopérer le mieux possible à la fonction complexe de présidence de l'Union européenne que notre pays exerçait en ce second semestre 2000. Cette fonction nous conduit à mener des concertations permanentes pour définir, arrêter et défendre les positions communautaires. J'y contribue, bien qu'encore très novice, en occupant le créneau des consultations avec les autres groupes de pays, ces « clubs » moins formels que l'Union européenne mais suffisamment disciplinés pour accepter de s'exprimer par la voie de porte-parole. Ainsi, le Nigeria défend le point de vue des pays en développement, le « G77 », tandis que les États-Unis et le Canada animent l'« Ombrelle », terme cocasse désignant le rassemblement de la plupart des pays occidentaux autres que l'Union européenne ; la Slovaquie pilote les pays à économie en transition et Samoa est le porte-parole des petits États insulaires directement menacés par la montée des océans.

Observateur autant qu'acteur, j'ai noté avec surprise la complexité d'une négociation qui met en jeu des intérêts économiques autant que scientifiques, avec la création de véritables bourses d'échange de droits d'émission de gaz à effet de serre pour permettre aux États – dont les efforts nationaux de régulation des émissions de dioxyde de carbone ne suffiront pas – de respecter leurs engagements en « achetant » la différence à d'autres États ou acteurs économiques, qui, eux, feront mieux que le quota attribué ou encore l'impulsion qu'il est possible de donner à l'économie des pays en développement par une amélioration des techniques énergétiques, agricoles, forestières. J'ai été témoin des petits et grands événements de la conférence : les discours inauguraux en présence de la reine, les longues soirées de négociation, l'entartrage du chef de la délégation américaine lors d'un point presse, les multiples ateliers parallèles proposés par des entreprises ou des ONG. Beaucoup de délégués s'apprêtent à passer une nuit blanche d'ultimes négociations ; pour ma part, je dormirai, pour qu'il y ait au moins quelqu'un de frais au sein de la délégation demain matin. On ne le sait pas encore, mais dans quelques heures cette conférence va échouer. Les États vont se séparer sans avoir conclu sur les règles pratiques de mise en œuvre du protocole. Une longue période d'incertitude s'ouvre, que va accroître, deux mois plus tard, la décision de la nouvelle administration américaine de se retirer en partie des négociations.

Il n'empêche, j'ai engrangé mes premières leçons de diplomatie environnementale : les projets de résolution avec leurs paragraphes introductifs ou opérationnels, les « non-papiers » à l'existence éphémère mais permettant à une partie de diffuser son point de vue de manière informelle, la décision de « lever son drapeau », autrement dit de demander la parole en plaçant verticalement la plaquette sur laquelle est inscrit le nom de son pays, les usages de courtoisie qui permettent d'exprimer calmement des avis contraires. Finalement, il n'a pratiquement pas été question de science, certains aspects de la négociation étant si complexes que la connaissance que l'on croit en avoir est constamment remise en cause ; la langue française est peu utilisée. J'ai observé comment assurer la présidence communautaire : dans quelques jours, j'officierai à mon tour comme président de la délégation française et, à ce titre, porte-parole de l'Union européenne, à Bonn, où se réunissent les parties à la Convention de lutte contre la désertification, puis à Ouagadougou, où l'on va traiter de la protection de la couche d'ozone.

*Mardi 5 février 2001, Nairobi.* Le temps est doux sur les hauts plateaux kenyans. Le campus de Gigiri, sur lequel sont installés les locaux du Programme des Nations unies pour l'environnement, est à vingt minutes du centre-ville. Les bâtiments sont fonctionnels et agréablement envahis par la flore équatoriale. La nuit tombée, il faut verrouiller de l'intérieur le 4 x 4 de l'ambassade qui nous reconduit à l'hôtel. C'est la vingt et unième fois que se réunit le conseil d'administration du PNUE, créé à la suite de la conférence de Stockholm sur l'environnement, en 1972. Tous les États du monde, à nouveau, dans une seule salle, d'Antigua-et-Barbuda à la Chine ou à l'Australie, de Monaco au Brésil ou à l'Afrique du Sud. Quel pays pourrait, aujourd'hui, prétendre ne pas être concerné par les grands enjeux de l'environnement ? Les pollutions ignorent les frontières, la protection de la planète passe par la lutte contre la pauvreté, l'engagement de la société civile, la généralisation de règles telles que le principe de précaution. Précisément, un forum invite les ministres et ambassadeurs présents à s'interroger sur les modes de développement adaptés à la protection de l'environnement. La politique fait irruption lorsque l'Égypte propose une résolution condamnant des violations répétées de l'environnement dans les territoires palestiniens occupés : beaucoup de délégations ne cachent pas leur malaise de voir ainsi exploitée une tribune qui devrait marquer le réveil de la communauté internationale face aux menaces sur la nature. À la fin de la conférence, nous visiterons, dans la Rift Valley, les installations de récupération de l'énergie géothermique qui vont épargner au Kenya de lourds investissements dans des barrages dont l'entretien est difficile en Afrique.

*Dimanche 4 mars 2001, Trieste.* Changement de décor. Près de trois mille policiers sont déployés pour contenir une manifestation antimondialisation d'effectif comparable. La salle du conseil régional de Frioul-Vénétie julienne abrite les travaux du « G8 Environnement », le « *Giotto ambiente* » en italien, c'est-à-dire la déclinaison, dans le secteur de l'environnement, des consultations annuelles entre les huit principales puissances industrielles. Le changement climatique, mais aussi la reconstitution du fonds pour l'environnement mondial, la protection des forêts, les dangers des produits chimiques toxiques sont à l'ordre du jour. Tous les regards convergent vers l'élégante administratrice de l'Agence américaine de l'environnement, l'EPA, qui vient d'être nommée par le président Bush et qui, la première, donnera le ton des nouvelles positions américaines : avec simplicité, elle explique que la Maison-Blanche a décidé de passer en revue tous les dossiers en suspens et qu'il lui faudra plusieurs semaines. Légère déception dans les rangs européens. Je partage mon temps entre les séances officielles, les discussions informelles dans les couloirs et le groupe de rédaction du communiqué final, dans lequel chaque mot est pesé au trébuchet : de l'art de livrer à la presse un texte plus positif que le contenu des négociations.

*Mardi 1ᵉʳ mai 2001, New York.* La fête du Travail n'est pas chômée aux États-Unis. Dans la salle du Comité économique et social (l'Ecosoc), la Commission du développement durable tient séance pour la neuvième année consécutive. Créée en 1992 lors du Sommet de la Terre, à Rio de

Janeiro, elle fait un peu office de parlement universel pour les questions de développement durable, ce concept introduit dans la terminologie officielle par le célèbre rapport Brundlandt paru dans les années 1980 : l'humanité doit lutter contre les inégalités de développement au sein de la génération actuelle, sans porter préjudice aux générations futures, s'agissant notamment de la préservation de notre cadre de vie. Année après année, la Commission adopte des textes sur l'environnement et les transports, l'environnement et la santé, l'environnement et l'énergie. La « société civile » s'y exprime : en anglais, ce sont les « *major groups* », les groupes importants, où l'on retrouve, un peu pêle-mêle, ONG et autorités locales, fédérations d'entreprises et associations de femmes, délégués des peuples indigènes et représentants des jeunes, parfois même porte-parole religieux. Comme dans un parlement, la Commission a ses ténors, diplomates qui y siègent de longue date, sachant se glisser dans les groupes de rédaction des textes principaux, développer les contacts, poser des jalons en vue d'une future élection. L'Afrique du Sud présente officiellement les premières dispositions pratiques en vue du Sommet du développement durable, qui se tiendra à Johannesburg en septembre 2002, dix ans après celui de Rio. Plusieurs conférences préparatoires jalonneront la montée vers cet événement universel où environnement, développement et lutte contre la pauvreté seront traités sur un pied d'égalité. Le marketing n'est pas étranger à la diplomatie : le ministre sud-africain commente le logo proposé pour le sommet. À la poste des Nations unies, la série des timbres 2001 est consacrée à la protection des espèces animales et végétales en danger.

*Mercredi 23 mai 2001, Stockholm.* Le soleil illumine la capitale, ses baies et ses bateaux. Sous les yeux du Premier ministre suédois, qui explique les dangers des substances chimiques polluantes, une statuette en pierre figure une femme inuit et son enfant, rappelant opportunément que le DDT et autres insecticides ou produits industriels toxiques s'accumulent dans les chaînes alimentaires jusqu'à l'Arctique et finissent par constituer un poison pour l'animal et l'être humain. Deux jeunes gens en costume national viennent tour à tour au banc de chaque pays inviter le chef de délégation à signer la Convention des Nations unies sur les polluants organiques persistants, désormais appelée Convention de Stockholm. Sa mise au point a nécessité quatre années et cinq conférences préparatoires : la communauté internationale s'engage à bannir douze familles de substances chimiques extrêmement toxiques,

l'hexachlorobenzène, les PCB, les dioxines, les furanes. Je ne suis pour
rien dans cet accord, et la plupart de mes collègues qui ont participé
aux négociations sont retenus par d'autres obligations ; ému toutefois,
je signe officiellement pour la France.

*

C'est la première fois qu'un ambassadeur délégué aux questions
d'environnement est nommé dans notre pays. Deux de mes collègues
traitent, pour leur part, respectivement des questions des droits de
l'homme et de lutte contre la criminalité organisée et la corruption.
Nommés tous trois en l'an 2000, nous illustrons une évolution du métier diplomatique : sans être accrédités auprès d'organisations multilatérales, et, a fortiori, d'États étrangers, sans diriger de service
administratif, mais bien introduits auprès de tous ceux qui assument
une part de responsabilité dans le traitement de ces nouveaux dossiers
« globaux », nous sommes disponibles, depuis Paris, pour toute fonction
d'analyse, de coordination, de négociation, d'appui, de représentation,
sur les sujets sous notre responsabilité, donnant notre point de vue sur
les positions à présenter, exerçant notre jugement sur l'actualité de notre secteur. Ambassadeurs « thématiques », « horizontaux », « transver-
saux », le vocabulaire a quelque mal, lui, à s'adapter, la France ayant peu
connu, jusqu'à présent, cette catégorie de diplomates que les Anglo-
Saxons qualifient d'ambassadeurs « *at large* ».

Appelé à siéger au nom de la France dans les organismes internationaux de l'environnement lorsque les ministres concernés sont em-
pêchés, j'ai aussi une mission de coordination générale à mener : la
protection de l'environnement fait aujourd'hui l'objet de près de deux
cents accords multilatéraux à portée régionale ou mondiale, qui constituent le socle d'un droit international de l'environnement particulièrement dense et complexe du fait de sa faible structuration. Le
programme « Action 21 », adopté à Rio en 1992, comprend près de trois
mille recommandations relatives au développement durable. L'environnement est traité tant dans les organismes politiques spécialisés des
Nations unies (PNUE, Commission du développement durable, Conférences des parties aux différentes conventions environnementales...)
que lors des divers sommets du G8, du Conseil européen, de l'OCDE et
de l'Agence internationale de l'énergie, de la Banque mondiale... et dans

de multiples cadres régionaux, par exemple concernant la Méditerranée, ou bilatéraux.

Mais comment, en pratique, coordonner ? Chaque domaine est affaire de spécialistes et qu'y a-t-il de commun entre l'économiste des échanges de droits d'émission de gaz à effet de serre, l'ingénieur agricole expert en biodiversité, l'écotoxicologue qui maîtrise la question des polluants organiques, l'administrateur des fonds de coopération environnementale ? De fait, les négociations sur la protection de notre planète et de ses habitants s'inscrivent aujourd'hui dans des cycles de plusieurs années et nécessitent des équipes professionnelles stables, par exemple à propos du changement climatique, dossier majeur pour lequel a été créée une mission interministérielle de l'effet de serre (MIES) directement placée auprès du Premier ministre.

Cohérence et stimulation, à l'initiative d'un généraliste, apparaissent pourtant souhaitables : les négociations environnementales sont parcourues par des idées, des doctrines, des « principes » – tel celui de la responsabilité commune mais différenciée des États – que l'on retrouve d'un chantier à l'autre ; il faut aussi harmoniser les positions nationales avec celles des partenaires européens, occidentaux, francophones ; et pourquoi ne pas définir une stratégie d'ensemble ? Des pays comme le Canada, la Norvège, la Colombie, l'Afrique du Sud, l'Iran ont fait de l'environnement un secteur privilégié de leur présence diplomatique. L'Union européenne l'a bien compris, et chaque État membre adapte à présent son organisation en ce domaine.

En trois décennies, de la conférence de Stockholm de 1972 au Sommet du développement durable de 2002 en passant par le Sommet de la Terre de 1992, les déclarations et principes ont fait place aux engagements juridiquement contraignants pour les États et leurs économies. La diplomatie environnementale a pris corps à partir de ces événements hautement symboliques : elle a jeté les ponts nécessaires entre science, écologie, développement, industrie, droit, politique ; elle a donné une seconde jeunesse aux Nations unies.

Mais la tâche est encore immense, comme l'illustrent les propositions pour un développement durable formulées au printemps 2001 par la Commission européenne. L'insécurité alimentaire, le manque d'eau potable, les risques chimiques provoquent 20 % des décès dans les pays en développement ; un milliard de personnes sont menacées par la désertification et l'érosion ; des centaines d'espèces animales et végétales disparaissent, contribuant à la perte de biodiversité ; le changement climatique, les tempêtes, les inondations ont un coût économique et financier croissant ; la courbe de pollution atmosphérique urbaine ne fait que se stabiliser alors que 80 % de la population mondiale habitera dans des villes en 2050 ; la masse des déchets augmente plus vite que la croissance économique. C'est donc aussi d'une diplomatie pour l'avenir de la planète que nous avons besoin.

Or cette diplomatie présente des traits singulièrement nouveaux.

Elle répond moins à une somme d'enjeux nationaux qu'à des objectifs globaux dépassant les intérêts traditionnels de chaque État. Un traité de paix rétablit un équilibre régional entre puissances ou pouvoirs ; un agrément commercial fixe des règles d'échanges au mieux des finances des partenaires. En matière environnementale, les intérêts nationaux s'effacent derrière la volonté de lutter ensemble contre une atteinte intolérable à la vie, au devenir de la planète. D'où le concept de biens communs : la négociation environnementale n'oppose pas les intérêts écologiques de deux ou plusieurs États ; elle les associe dans la défense conjointe des biens communs de l'humanité. Dès lors, cette diplomatie est, par essence, universelle : elle adopte des documents en forme de « stratégies », de « lignes directrices », de « séries d'indicateurs » et produit des conventions dont la réussite se mesure autant au nombre d'États qui ratifieront qu'au contenu des règles formalisées.

Cette diplomatie ne doit plus compter sur les seuls moyens gouvernementaux pour obtenir des résultats. Comment interdire des produits toxiques sans la participation active de l'industrie et de la recherche pour la mise au point de substituts ? Comment mieux gérer les cycles du bois et de l'eau sans l'engagement des populations et des élus locaux concernés ? Les partenaires de la société deviennent donc acteurs à part entière de la diplomatie environnementale et une place toujours croissante leur est accordée, au point que certaines délégations officielles commencent à inclure des membres d'organisations non gouvernementales. Il en résulte une transparence des travaux, désormais largement accessibles à un public qui ne se contente plus de s'intéresser aux seuls cas des éléphants ou des baleines ; beaucoup de documents en négociation sont disponibles sur les sites Internet comme celui du PNUE (www.unep.org).

Dernière caractéristique : cette diplomatie est multiple dans ses objectifs et ses enjeux. On veut, tout à la fois, protéger la nature, assurer le développement économique et lutter contre la pauvreté, préserver les territoires sans handicaper l'essor local. Le polygone des contraintes est complexe, d'autant que les négociations environnementales intègrent souvent un horizon temporel très éloigné, parfois de plusieurs décennies ; de quoi, dans les discours, faire allusion à ses petits-enfants...

Après avoir progressivement empli le champ politique interne depuis une trentaine d'années, la question environnementale atteint à présent les relations internationales qui évoluent rapidement au regard des exigences du développement durable et s'éloignent des structures héritées de la guerre froide. S'il y a toujours des attachés de défense dans les ambassades, il y a aussi désormais des conseillers pour les questions d'environnement.

Cette architecture nouvelle, que le terme de gouvernance internationale traduit plus ou moins bien, se bâtit sur des accords multilatéraux qui, à leur tour, appellent de nouveaux instruments nationaux. Le monde légifère désormais « par le haut » sur les produits agricoles et industriels, l'habitat, le transport, la santé, le commerce. Le calendrier de la globalisation s'impose progressivement aux États : il y a des phases de prospection, d'impulsion, de discussion, de suivi ; le mot latin « momentum », traité à l'anglo-saxonne, désigne ce cycle des phases d'opportunité, des fenêtres de tir propices à la négociation internationale.

Convergence des objectifs ne veut pas dire convergence des intérêts ; c'est au moment où l'on s'accorde sur les grands principes que l'on découvre les écarts de pensée, et la mondialisation n'efface pas du champ de la négociation les clivages connus entre le Nord et le Sud, entre cultures et idéologies régionales, entre intérêts industriels et commerciaux. La maîtrise de la mondialisation, riche d'opportunités nouvelles, mais aussi lourde de risques pour l'humanité, constitue désormais un objectif commun aux diplomaties du monde.

*

*Vendredi 18 décembre 2020, New York.* La soixante-quinzième assemblée générale des Nations unies s'achève positivement. Le changement climatique est maîtrisé, et la courbe du réchauffement atteindra un sommet moins élevé que ce que l'on redoutait. Les déserts reculent grâce aux nouveaux programmes de reforestation, qui permettent aussi de capter le dioxyde de carbone et de préserver la biodiversité. Les pollutions maritimes se font très rares. La couche d'ozone est définitivement reconstituée. Les produits chimiques toxiques sont à présent bannis. Les flux de financement vers les pays en développement augmentent. Une Organisation mondiale du développement durable a vu le jour ; elle intègre les préoccupations de santé, d'environnement, de commerce, de développement. Dans la plupart des pays, les ministères des Affaires étrangères sont devenus des ministères des Affaires globales.

**Philippe Zeller**

# « Le monde va rester dur »

Entretien avec Hubert Védrine

*Samy Cohen. – Le travail du ministre des Affaires étrangères a-t-il sensiblement évolué au cours de ces dix dernières années ?*

Hubert Védrine. – Oui. Beaucoup de choses ont évolué. Tout d'abord, il y a plus de pays, plus d'obligations internationales, une augmentation exponentielle des partenaires, donc beaucoup plus de consultations régulières. À une époque, il y avait seulement le sommet franco-allemand, puis il y a eu le franco-italien, le franco-espagnol, le franco-britannique, celui de la francophonie, le processus de Barcelone, le forum méditerranéen, les contacts avec tous les pays de l'ex-URSS... Le nombre de rencontres européennes aussi a crû. Soit une augmentation d'environ un tiers des réunions « automatiques » au sommet ou au niveau ministériel. Il y a également une façon différente de travailler avec le téléphone. Pendant la crise au Kosovo, nous – les cinq ministres des Affaires étrangères occidentaux – avions une conversation une fois par semaine, puis deux fois, puis tous les jours. Il faut également consacrer plus de temps aux entreprises. Quand j'ai pris ma fonction, j'ai souhaité organiser une fois par mois un dîner avec l'état-major d'un grand groupe français afin qu'il y présente ses problèmes, sa stratégie et explique comment le Quai d'Orsay pouvait l'aider. Le ministère travaille plus qu'il ne l'a jamais fait avec les ONG, conformément à ce que j'ai souhaité. C'est vrai des directeurs ou conseillers spécialisés, mais aussi du ministre. Il y a bien sûr également les parlementaires. Je me rends presque une fois par mois devant les commissions des affaires étrangères de l'Assemblée et du Sénat. Je rencontre des rapporteurs spécialisés et j'organise des dîners pour discuter avec eux. S'agissant des médias, j'essaie de maintenir presque chaque semaine quelques rendez-vous de « fond », indépendamment de ce que je peux dire aux points de presse, ou à l'occasion d'interviews car il est plus que jamais nécessaire d'expliquer.

Depuis la fin du monde bipolaire, qui était inquiétant mais stable et prévisible, on est, avec la mondialisation, dans un système brouillé, où la demande d'explication est considérable. Chaque crise est spécifique et moins prévisible qu'avant. Il y en a beaucoup plus que pendant la guerre froide. À cette époque, elles étaient rares et spectaculaires, le plus souvent étouffées dans l'œuf, stérilisées parce que la montée aux extrêmes était possible, trop dangereuse, donc empêchée. Pour autant, l'anticipation est devenue essentielle. En outre, les coalitions politiques sur lesquelles on s'appuie sont moins stables, même au sein de l'Union européenne. Le passage de l'Europe des Douze à celle des Quinze a créé une configuration plus aléatoire. L'issue des négociations à quinze, au sein d'un Conseil européen, est moins évidente. En outre, la politique étrangère, dans les pays très médiatisés, est formée par une alchimie complexe et instable entre l'opinion, les sondages, les médias et le gouvernement. Toute une partie de notre travail consiste à anticiper le résultat d'une discussion entre les différents centres de pouvoir. C'est par exemple essentiel à propos de la politique américaine.

*Le manque d'orientations claires de la politique étrangère de la France, que certains constatent, n'est-il pas dû, en partie, à l'alourdissement de la tâche du ministre ?*

C'est évidemment un risque. La diplomatie française n'est pas seule concernée. Il y a des dilemmes que, collectivement, la France ne veut pas trancher, et des risques de contradictions, comme dans toutes les démocraties modernes ultramédiatisées. Dans nos sociétés centrées sur l'individualisme, sur la consommation, avec des pouvoirs publics très contrôlés et qui doivent rendre compte de tout – ce qui est normal –, mais aussi soupçonnés et affaiblis dans certains cas, le risque est de perdre le fil. Tout cela peut ne pas faire bon ménage avec une politique étrangère qui suppose des objectifs clairs et la durée.

*Comment peut-on remédier à cet inconvénient ?*

D'abord, en ayant une communication d'explication et de décryptage continue, et pas uniquement réactive ou événementielle. Prenons les États-Unis. Vous connaissez ma formule : « Nous sommes leurs amis et leurs alliés, mais nous ne sommes pas alignés. » Ma classification – hyperpuissance, par exemple – tient à la nécessité de fournir des points de repère, à mon espoir que nous puissions arrêter de perdre du temps à des interrogations sur le vrai-faux déclin de la France. Autre exemple, je préfère parler de « moteur » plutôt que de couple franco-allemand : cela signifie que l'on cherche à entraîner quelque chose ensemble. De même, « diversité » culturelle est dans le monde plus mobilisateur qu'« exception », même si l'exception est la condition de la diversité. Le travail linguistique a son utilité, je crois.

Pour résister dans cette fonction, il faut également une discipline de fer en matière d'agenda. La première année, vous êtes obligé de nouer des contacts tous azimuts afin de vous intégrer dans le réseau mondial des ministres, de vous y faire admettre et d'y gagner de l'influence. J'ai ainsi fait quatre-vingt-sept voyages de juin 1997 à juin 1998 ! Ensuite, à l'inverse, il faut constamment freiner afin de ne pas être submergé, et se concentrer sur l'essentiel. De plus, chaque année, avant la conférence des ambassadeurs, j'essaie de faire, pour moi et pour le ministère, un travail d'évaluation de notre gestion interne et externe. Je fais régulièrement un travail de *brainstorming* avec mes conseillers. J'ai créé un comité de stratégie rassemblant tous les directeurs, où il est question de sujets globaux pour donner de la perspective. Nous travaillons, notamment, en ce moment, sur nos relations avec les autres acteurs des relations internationales.

*On entend justement souvent dire que le ministère ne communique pas assez, qu'il n'est pas assez ouvert, notamment à la société civile, malgré des changements notoires.*

C'est un peu un cliché. Et, d'ailleurs, qu'est-ce que la « société civile » ? Tous les jours, à l'administration centrale – et pas seulement à la Direction générale de la coopération internationale et du développement – comme dans de nombreux postes, il y a des contacts ou des réunions avec des entreprises, des experts, des chercheurs, des intellectuels, des journalistes, français et étrangers, et avec de nombreuses ONG. Et je souhaite que nous en fassions encore plus. Les thèmes, les occasions ne manquent pas.

*On cite souvent les diplomaties de la Grande-Bretagne, du Canada, des États-Unis ou de la Suède comme étant plus ouvertes aux ONG. Vous dites : « Nous sommes ouverts », mais voilà des pays qui intègrent souvent des représentants d'ONG ou d'autres professions dans leurs délégations.*

Dans la mesure où c'est exact, ce n'est pas un signe d'ouverture mais de confusion. Ce n'est pas notre ligne. Je n'inclurais d'ailleurs pas la Grande-Bretagne dans cette série, et encore moins les États-Unis. Quelques pays n'ayant pas de politique étrangère, pas de tradition de puissance ni de vrai appareil diplomatique ont fait des ONG (de celles qui l'acceptent, d'autres veulent garder leur indépendance) leur bras séculier ou leurs porte-parole. Information mutuelle régulière, consultation avant et pendant les crises, coordination dans l'action : oui. Sur les crises africaines, l'Indonésie, l'Afghanistan, les mines antipersonnel, ou le statut de la Cour pénale internationale, le climat, le ministère l'a fait, pas moins que les pays que vous citez, mais sans confusion des genres. Car c'est aux gouvernements démocratiquement légitimes de conduire les négociations et de décider. Le militantisme, associatif ou autre, doit respecter la démocratie représentative. Sinon, c'est le pouvoir des lobbies, des minorités agissantes, de groupes divers ; et alors, qui tranche, qui est responsable ?

*La diplomatie française ne donne-t-elle pas l'impression d'être plus souverainiste que les autres ?*

Quelles autres ? L'américaine ? La britannique ? L'espagnole ? Celle des pays candidats à l'Union européenne ? De toute façon, la souveraineté sera de plus en plus exercée en commun, notamment entre Européens ; le peuple français a approuvé ce principe, mais il n'a pas décidé d'*abandonner* sa souveraineté, ni à la Commission européenne, ni au marché. La ligne de partage est plutôt entre les pays qui ont une vraie politique étrangère, avec une stratégie, des objectifs, et qui intègrent dans leur approche toutes les dimensions – diplomatique, économique, culturelle, celle de société civile, etc. –, et les autres, qui comptent surtout sur l'expression de leur société civile pour exister dans le monde.

La diplomatie française, par rapport à celle des grands pays, n'est certainement pas plus fermée. Les États-Unis sont aujourd'hui l'incarnation même du pays souverainiste et unilatéraliste dans son action. La plupart des pays ouverts recherchent un bon équilibre entre le maintien d'une certaine dose de souveraineté étatique, une souveraineté exercée en commun au sein d'organisations dans des domaines de plus en plus nombreux, et quelques transferts de souveraineté, là où cela apporte un plus. La France est un bon exemple de cet équilibre qui évolue à son rythme.

*Vos prises de position concernant les* ONG *créent souvent un malaise : vous dites que la société civile ne constitue pas une « panacée », mais que c'est un « partenaire indispensable ». Il se dégage donc une sorte d'hésitation et une absence de doctrine du ministère.*

Je préfère que vous disiez « hésitation » plutôt que de reprendre la critique infondée de rejet des ONG de notre part. Les deux formules sont complémentaires. Oui, les ONG sont des partenaires indispensables, et cela se voit aussi bien en ce qui concerne le développement que les droits de l'homme, l'action humanitaire, etc. On travaille avec elles sans arrêt. On les subventionne, on les voit, et on échange des analyses. Et, non, elles ne sont pas la panacée, elles ne sont pas la solution à tout, elles ne peuvent pas remplacer des administrations efficaces, des gouvernements modernes et démocratiques. Si vous êtes un jeune Bosniaque, votre premier choix d'avenir c'est l'immigration, le deuxième une ONG, parce qu'elles ont l'argent, des 4 × 4 et le prestige, et le troisième choix, si vraiment vous n'arrivez à rien, entrer dans une administration bosniaque. Le problème se présente de la même façon dans beaucoup de pays africains. La base de la démocratie, bâtir une administration tenant la route, n'est pas valorisée. C'est à cela que renvoie le débat sur les ONG.

*Dans les pays que vous avez cités, il est peut-être plus rentable de reconstruire à travers les* ONG *que de rebâtir une administration.*

Dans certains cas c'est peut-être la solution la plus efficace dans l'urgence ou à court terme, mais vous courez alors le risque de refaire avec ces ONG de la coopération de substitution, telle que la France la pratiquait en Afrique il y a vingt ans. Il est vrai que, compte tenu de cette vogue, de plus en plus de pays d'Afrique considèrent que la Banque mondiale, le FMI ou l'Europe imposent tellement de critères et de conditions aux États qu'ils sont obligés de passer par des ONG, surtout anglo-saxonnes, ou de fabriquer de fausses ONG pour amadouer les donateurs ! Pendant ce temps, l'édification de l'État, indispensable, n'avance pas. Cela peut en effet détourner complètement un gouvernement de bâtir une administration moderne, ce qui est, il est vrai, une tâche très compliquée. Il faut établir des critères de recrutement, payer et former les fonctionnaires, construire un service fiscal, des douanes, une justice qui fonctionne, etc. Les ONG sont parfois un palliatif, un produit de substitution, plutôt qu'un *starter*. Certains s'en préoccupent et y réfléchissent.

*La priorité est donc de reconstituer un appareil d'État dans les régions qui en sont dépourvues.*

Reconstituer ou constituer des États de droit, certainement, capables de garantir les conditions de la vie sociale, de la sécurité, et le déroulement des actes élémentaires de la vie démocratique. Sur les 189 pays, quelques dizaines sont des pseudo-pays. Ils sont trop petits, n'ont pas de ressources et vivront toujours de l'aide. Mais plusieurs dizaines d'autres, dont la Russie, pourraient bâtir des États, de préférence modernes et démocratiques, capables de garantir les conditions de la vie sociale, de la sécurité, et le déroulement des actes élémentaires de la vie démocratique. Le marché et la société civile ne peuvent répondre à tout. Il faut un mécanisme politique légitime qui prenne des décisions dans l'intérêt général et dans la durée : un appareil d'État, une administration. Depuis une dizaine d'années, le FMI et la Banque mondiale l'ont trop oublié, avec leurs illusions sur la bonne gouvernance sans gouvernement, mais devraient le redécouvrir peu à peu.

*Dans le monde de la recherche, des universités, des ONG, de la « société civile », il se développe un courant pour dire : « Ne laissons pas les diplomates définir ce que doit être l'intérêt national. Ça doit se discuter, parce qu'il y a un certain nombre d'enjeux auxquels ils ne sont pas sensibles, comme l'humanitaire, le droit pénal international, l'environnement. C'est par nous que tout ça est arrivé, et il faut donc qu'on négocie ensemble. »*

Ce ne sont pas les diplomates qui définissent l'intérêt national, mais le président et le gouvernement, démocratiquement élus ou désignés. Il n'y a pas de raison non plus que ce soit la société civile toute seule. Les diplomates, spécialistes de la négociation internationale, ont montré depuis longtemps leur capacité à prendre en compte des objectifs multiples : l'économie, l'environnement, le droit, la culture... Le statut de la Cour pénale à Rome a vu le jour en grande partie parce que les diplomates français ont fait preuve d'ingéniosité professionnelle – au sens de professionnels de la négociation – pour trouver un point de compromis entre les pays qui ne voulaient à aucun prix d'une Cour pénale internationale et ceux qui en voulaient dans des conditions maximalistes. Pourquoi un élément de la société civile – un institut de recherche, un journal, une ONG qui a en général un objectif spécialisé et peut se permettre de ne prendre en compte qu'une partie des problèmes, contrairement à l'administration – aurait-il plus de légitimité que les autorités politiques pour déterminer l'intérêt national et définir une politique étrangère ? Il y a risque de confusion des rôles. En revanche, je l'ai dit, nous sommes très ouverts aux concertations avant ou pendant les grandes négociations. Mais on n'est pas obligé d'aller jusqu'au degré de confusion de certains pays, qui ne savent plus distinguer délégation gouvernementale et ONG. À Bonn, sur le climat, avec Yves Cochet, la coopération a été excellente entre la délégation, les ONG et les experts.

*Mais les diplomates du ministère sont-ils sensibles aux ouvertures ?*

Pas encore assez. Vous en trouveriez encore quelques-uns qui ne savent pas comment se comporter avec les médias, se méfient des ONG ou des parlementaires. Mais je crois que la grosse majorité se retrouve dans ce que je dis. Il faut néanmoins renforcer l'ouverture des Affaires étrangères, à commencer par celle aux fonctionnaires issus d'autres ministères.

*L'impression que donne le ministère des Affaires étrangères est celle d'un outil qui s'adapte plus lentement que les ministères de pays tels que la Grande-Bretagne.*

Le Quai d'Orsay n'est pas en retard sur les autres ministères. Il y a 189 pays dans le monde. Le *seul* autre ministère auquel on peut comparer le Quai d'Orsay, c'est sans doute le Foreign Office. Le seul point sur lequel le Foreign Office est sans conteste meilleur, c'est la gestion des

carrières : les affectations s'y font de manière plus logique, plus ration-
nelle, en tenant mieux compte des compétences linguistiques et autres.
Mais savez-vous que beaucoup de ministères des Affaires étrangères
envoient des missions au Quai d'Orsay pour étudier notre modernisation ? Ce qui ne veut pas dire, je le répète, que tout soit parfait ; au
contraire il y a encore beaucoup à améliorer, notamment sur la gestion,
les ressources humaines, l'évaluation, la formation, la mobilité.

*Concernant la diplomatie et la mondialisation, vous dites, dans une interview récente
accordée au Monde, que la mondialisation « renforce » la diplomatie, qu'elle constitue
un « atout », et pas une « menace ». Pourriez-vous préciser ce que vous entendez par là ?*

La mondialisation renforce la *nécessité* de la négociation, et donc de la
diplomatie. Dans ce monde global interdépendant, avec cette augmentation du nombre des acteurs et des défis multiples qui les affectent
tous où l'action est nécessairement collective, il faut une grande capacité
à négocier avec un grand nombre de partenaires dans des négociations
complexes qui interagissent. On a donc plus que jamais besoin de vrais
spécialistes de la négociation, quel que soit le domaine concerné. C'est
la chance des ministères des Affaires étrangères s'ils savent relever ce
défi. Quand il y a des négociations sur le climat, les transports, l'agriculture, la propriété intellectuelle, des experts du Quai d'Orsay sont là,
même quand le Quai ne conduit pas la délégation : la diplomatie est
une spécialité transversale. C'est un métier en soi que de savoir
comment gérer les relations entre les pays, surtout quand il y a plusieurs
négociations simultanées. Il faut faire une synthèse pour savoir où est
la marge de manœuvre, où il faut se méfier, hiérarchiser des objectifs,
ce qu'on peut anticiper de la position de l'autre, construire des alliances.
Seuls les domaines vraiment très infratechniques ne sont pas concernés.
C'est précisément parce que les relations internationales explosent
qu'on a besoin de diplomates, professionnels et polyvalents, et compétents dans deux ou trois spécialités dominantes. L'évolution du monde
ne les rend pas caducs, loin de là.

*Mais dans tous les ministères il y a des « spécialistes de la négociation », que ce soient
des spécialistes de l'environnement, de l'agriculture, des finances ou des scientifiques.
Qu'est-ce qui fait la spécificité du négociateur diplomate ?*

Dans la plupart des autres administrations, l'activité de négociation est occasionnelle. Le spécialiste de tel secteur agricole peut avoir à un moment donné à négocier un volet de la politique agricole commune, celui de la construction aéronautique peut participer à la négociation d'un accord pour fabriquer en commun un avion. Et ils sont souvent excellents. Mais avoir une véritable expérience de la négociation, éprouvée sur toute une carrière, suppose une connaissance du passé des négociations et des relations internationales, une connaissance globale et intime à la fois de l'interlocuteur, un savoir-négocier qui s'apprend et se transmet. On ne négocie pas seulement avec un ministre de l'Agriculture ou de la Culture, mais avec un pays. Il faut avoir une vision large des autres intérêts qui peuvent contredire les intérêts précis en jeu dans une négociation. Une appréciation globale est indispensable. C'est le rôle du ministère des Affaires étrangères et, quand il le faut, du Premier ministre, d'effectuer la synthèse. C'est cela qui forme une spécialité, une compétence d'ensemble et, finalement, une culture. Les diplomates sont des archivistes, les conservateurs de la mémoire, des acquis et des méthodes, de la technique de négocier, que l'Institut diplomatique que j'ai créé devra transmettre.

*Y a-t-il un clivage entre les sujets de négociation, les conférences dans lesquelles le ministère des Affaires étrangères a la prééminence, et les sujets où il ne l'a plus ?*

Oui, mais nous ne demandons pas à avoir le monopole ni le *leadership* sur tout. Il est raisonnable de la part du ministère et utile pour l'État que le ministère soit ou chef de file ou partie prenante, ou du moins systématiquement informé. Dans ces conditions, on pourra s'apercevoir si on fait fausse route avec un pays. C'est bien admis maintenant. Concernant le *leadership*, par exemple, le chef de délégation pour les négociations sur le réchauffement climatique, c'est le ministre de l'Environnement. Mais elles sont précédées par une réunion de synthèse interministérielle à Matignon, qui définit les positions de négociation, avec une participation active du Quai d'Orsay. Celui-ci suit ensuite au jour le jour les discussions et nous avons un diplomate important dans la délégation. Pour l'environnement, c'est l'ambassadeur pour l'environnement, poste que j'ai créé.

*Vous avez souvent mis en avant l'idée selon laquelle le ministère des Affaires étrangères est le lieu de synthèse de la politique étrangère, la « tour de contrôle »...*

... Doit s'efforcer et mériter de l'être. On a besoin d'un lieu de ce type. Cela ne peut pas se faire mieux qu'à partir de ce ministère, à condition qu'il soit ouvert. C'est un objectif mobilisateur. Le ministère appréhende bien, je crois, tout ce qui est au cœur du politico-diplomatique, du politico-stratégique, de l'analyse des situations politiques de l'ensemble de nos partenaires, une partie des relations économiques internationales, certaines des négociations culturelles mais ce qui relève du jeu interactif des opinions, des intérêts et des volontés gouvernementales est tellement compliqué qu'il n'y a pas de source unique. Or on a intérêt à ce que ce ministère ait aussi la capacité d'analyser, par exemple, l'influence de deux ou trois grands films de Hollywood sur le public américain et ses conséquences internationales. Il y a en effet un lien entre le soutien de la population américaine à tout système de défense et les films catastrophes qu'elle a vus depuis vingt ans. Il faut un ministère très ouvert sur tous ces aspects. La mutation est bien engagée, il faut la poursuivre.

*Est-il réaliste de penser qu'elle peut aboutir un jour, compte tenu de deux facteurs : l'esprit de corps très fort régnant dans certaines administrations...*

... Comme à Bercy.

*... et l'existence d'un pouvoir politique très fort sous la V<sup>e</sup> République ?*

Oui, c'est vrai, mais ce ne sont pas des empêchements. Beaucoup de ministères ont une très grande volonté d'autonomie, en dépit de textes qui définissent la compétence générale du Quai d'Orsay ou de l'ambassadeur. On travaille cependant très bien avec le ministère de la Défense, par exemple. Tous les autres ministères développent des relations internationales, des services spécialisés, mais ils en voient les limites dès que la négociation technique, ou leur politique, rencontre des difficultés. Ils se tournent très vite vers nous. On apporte une valeur ajoutée. Mes ambitions pour le Quai d'Orsay ne contredisent en rien ni la Constitution ni les usages politiques, ni, bien sûr, les prérogatives du président ou du Premier ministre. Et il ne s'agit pas d'empêcher les ministères des Transports ou de l'Agriculture d'avoir leurs propres relations internationales, mais de faire en sorte que cela s'inscrive dans un dessein d'ensemble, que globalement notre pays soit plus efficace. Il ne s'agit pas de capter des compétences, mais les informations clés doivent ne pas nous échapper, pour que nous puissions être des têtes de réseau utiles.

*Mais cela passe forcément par des structures et par la circulation de l'information. Or les diplomates se plaignent souvent de ce que l'information sur certaines négociations dans les domaines économiques, ou autres, leur fait défaut, que le président de la République ou le Premier ministre mènent eux-mêmes des négociations sans que l'administration en soit toujours informée.*

Ce n'est pas vrai en cohabitation. Je ne fais pas l'apologie de la cohabitation, qui est une situation contrainte, mais je constate que ces pratiques caractéristiques de la V<sup>e</sup> République sont quasi impossibles en cohabitation, tout simplement parce que la politique étrangère est un domaine *partagé*. Mais vous avez en partie raison : les formes de travail que je préconise supposent un État et des administrations modernes. Le Quai d'Orsay s'est modernisé de façon tout à fait estimable, mais cela ne suffit pas. Les Britanniques, outre la gestion du personnel, font preuve de supériorité dans l'échange, la mise en commun de l'information. Il faut corriger une certaine culture française : on a encore trop tendance à garder l'information pour soi, pour se valoriser par rapport à la hiérarchie, et on se prive en réalité d'une marge essentielle d'influence. Cela aussi doit changer davantage encore.

*Pour revenir à la comparaison avec le Foreign Office, vous avez souligné deux différences : la gestion des carrières et la circulation de l'information. N'y en a-t-il pas une troisième : la rapidité de réaction et l'efficacité de la mise en œuvre ? Certains ont comparé la lenteur de la France à la rapidité des Britanniques pour l'aide d'urgence en ex-Yougoslavie.*

On ne peut pas dire que la politique britannique dans les Balkans ait été mieux formulée ou plus efficace que la française, d'autant que les critères d'appréciation sont difficiles à déterminer. Quant à l'aide d'urgence, les systèmes sont très différents et tous critiqués pour leur lenteur. Certains voudraient, en s'appuyant sur les propositions du rapport Fauroux, bâtir un système différent pour l'aide d'urgence et, éventuellement, une agence autonome. C'est la mode. Est-ce l'idéal ? En fait, aucun système n'est tout à fait satisfaisant. Par exemple, il fallait dix-huit mois, avant les réformes Patten, pour que la Commission européenne règle effectivement les aides d'urgence ! Il faut aussi tenir compte de ce que la Cour des comptes déplore qu'en matière d'aide d'urgence nous ayons malmené pendant des années les règles de la comptabilité publique et que les décisions aient été prises n'importe comment, au nom de l'urgence humanitaire. Je pourrais vous montrer des rapports d'inspection de la Cour des comptes, des demandes de la Direction du budget, répétées chaque année pour qu'on mette un peu d'ordre – l'aide d'urgence ne doit pas être une pétaudière. Quand le Quai d'Orsay le fait, il est aussitôt brocardé pour son bureaucratisme. Y aurait-il une incapacité, non pas du Quai, mais de l'administration en général à monter une aide d'urgence ? Mais est-ce que les ONG gèrent mieux ? Cela reste à prouver. Que ce soit pour les uns ou pour les autres, l'argent public doit être géré de façon rigoureuse. D'ailleurs, beaucoup d'associations qui géraient les choses de façon sympathique, beaucoup plus rapide, mais désordonnée, ont été elles-mêmes obligées de respecter certaines procédures, dès lors qu'elles étaient subventionnées ou qu'elles collectaient de l'argent. Pour tenir compte de tout cela, en juillet 2001, nous avons réformé notre système, créé une délégation à l'Action humanitaire en fusionnant les différents services qui s'en occupaient. Et, au niveau interministériel, le Premier ministre a confirmé le rôle de pilotage du Quai d'Orsay dans la gestion des crises.

*Il y a plus d'une dizaine d'années, Brzezinski disait des diplomates qu'ils sont un « anachronisme », en citant à la fois l'éclatement de la politique étrangère, les systèmes de communication des pouvoirs politiques, la capacité d'être en contact avec les autres dirigeants. Cela vous paraît-il excessif ?*

C'est comme de dire qu'il n'y a plus besoin de médecins parce qu'il y a des guérisseurs partout. C'est un sophisme qu'il a dû concevoir à la Maison-Blanche auprès du président Carter, et dans lequel j'ai essayé de ne pas tomber, malgré mes quatorze années à l'Élysée. C'est peut-être à lui que Kissinger répond avec son ouvrage didactique intitulé : *Does America Need A Foreign Policy ?* (« Est-ce que l'Amérique a encore besoin d'une politique étrangère ? »)

*Je voudrais en venir à la définition de la politique étrangère. Il n'y a pas véritablement de politique étrangère européenne et il y a de moins en moins de politique étrangère nationale. Dans ces conditions, qu'est-ce que la politique étrangère ? Existe-t-elle ?*

Il y a toujours une politique étrangère de la France. Elle s'exprime soit à titre national, soit par le biais de l'Europe. L'expression nationale n'est pas destinée, à mon sens, à se fondre complètement dans une expression européenne : même ceux qui plaident en faveur d'une vraie politique étrangère commune ne contestent pas l'existence d'une politique étrangère française, britannique, et même allemande, laquelle est plutôt en train de se reconstruire que de disparaître. Donc, aujourd'hui, il y a toujours des politiques étrangères nationales européennes, harmonisées et, *en même temps*, de plus en plus de politique étrangère commune. À long terme, c'est plus difficile à dire. Je ne vois cependant pas les politiques étrangères des grands pays européens disparaître dans une politique étrangère européenne unique. Ce sont des métaux résistants, il faudrait une forge à très haute température. Et serait-ce un progrès ? Ne perdrait-on pas dans cette synthèse l'originalité et la force de la combinaison actuelle ? Pour moi, des politiques étrangères nationales fortes restent la condition, le combustible de la politique étrangère européenne commune, si l'on veut qu'elle soit autre chose que le plus petit dénominateur commun des Quinze aujourd'hui, des Vingt-Sept demain.

*Les objectifs fondamentaux de la France apparaissent hyperclassiques : défense des intérêts nationaux, de l'influence, de la sécurité. Ce sont des thèmes qu'on retrouve dans vos discours et dans ceux du président de la République.*

Vous parlez de « classicisme » de nos objectifs : il existerait donc une alternative plus « moderne » ou plus à la mode ? Se désintéresser des intérêts nationaux, de l'influence, de la sécurité de la France ? Ce renoncement, cette abdication serait nécessaire à une Europe forte ? Je ne le crois pas. On ne peut pas le voir après Durban, après le 11 septembre : le monde global est un monde brutal, ultraconcurrentiel, ultracompétitif, dans lequel chacun continue à lutter pour sa survie, sa sécurité, ses intérêts vitaux, sur tous les plans : approvisionnements énergétiques, liberté de mouvement, sécurité de ses ressortissants, influence dans le monde. L'influence s'exerce selon des dizaines de critères différents, de la mode jusqu'aux porte-avions. Il y a aussi la solidarité : ce que l'on veut apporter à la partie du monde qui n'est ni développée ni encore démocratique. L'Europe de l'Ouest est bien le seul endroit au monde où l'on s'interroge sur la pertinence de ces objectifs.

*L'« alternative » est que les États ont changé : ce n'est plus le temps de la compétition mais celui de la coopération économique.*

Pensez-vous que les États-Unis de George W. Bush raisonnent ainsi ? De toute façon, défense des intérêts vitaux et coopération économique ne s'opposent pas. Si on coopère économiquement, c'est parce qu'on considère que c'est un meilleur moyen d'assurer la sécurité que des systèmes ou des alliances militaires. On a fini par tirer les leçons de la première moitié du XXe siècle. Mais les motivations de fond restent les mêmes. Il faut se méfier d'une sorte d'angélisme ouest-européen, qui est sympathique mais qui ne doit pas nous rendre incapables de comprendre les motivations de nos partenaires dans le reste du monde, où la compétition l'emporte largement sur la coopération.

*Qu'entendez-vous par angélisme ?*

L'angélisme, c'est de penser que la préservation de l'identité est archaïque et superflue, que la sécurité est une préoccupation un peu vulgaire, dépassée, que tout va se faire par la coopération et l'entente entre gentils membres de la communauté internationale pleins de bonne foi. Certains Européens le voudraient après les leçons qu'ils ont tirées de leur histoire et de l'échec final, à leurs yeux, des conceptions « classiques » en 1939-1945. Voyez ce que représentent ou exploitent, avec leurs erreurs, leurs contresens, les mouvements antimondialisation : la peur de la perte des garanties sociales, des identités culturelles, d'un désastre écologique, de toute influence politique sur les décisions. Le monde va rester dur. Il faut que l'Europe sache et puisse défendre ses valeurs, son équilibre incomparable, donc ses intérêts. Et influencer le monde dans le bon sens avec autre chose que des déclarations. Et, si loin que nous amenions l'Europe, les États-nations auront encore un rôle à jouer.


**Propos recueillis par Samy Cohen**

# 2 | Les diplomates contre les ONG ?

Depuis une quinzaine d'années, les ONG contribuent à redessiner le paysage international dominé par les États, battant en brèche un monopole déjà entamé. Leur montée en puissance, en un temps relativement court, est indiscutable. Elles seraient vingt mille environ. Près de deux mille d'entre elles sont accréditées au Conseil économique et social des Nations unies (ECOSOC). On n'en comptait que quarante-cinq en 1945.

Certaines ont acquis une notoriété internationale. Médecins sans frontières et les ONG membres de la Campagne internationale pour l'interdiction des mines antipersonnel ont été lauréates du prix Nobel de la paix. L'image très positive qu'elles ont acquise auprès du grand public confère à leur parole un poids aussi important, sinon supérieur, à celui des dirigeants politiques les plus éminents. Dans les pays occidentaux, l'opinion publique leur fait davantage confiance qu'aux gouvernements, aux entreprises et aux médias. En France, elles sont considérées comme trois fois plus « crédibles » que le gouvernement, cinq fois plus que les entreprises et neuf fois plus que les médias[1]. Elles jouissent d'une popularité inégalée, surtout auprès du jeune public. Elles incarnent des valeurs de courage, de générosité et de dévouement, une nouvelle conscience humanitaire.

Certains auteurs leur attribuent une influence décisive sur les affaires de la planète et sur la politique étrangère des États. Elles seraient à l'origine de grandes avancées dans les domaines de la justice internationale, des droits de l'homme et de la femme, de la protection de

---

1. Selon une étude publiée en décembre 2000 et réalisée en France, en Grande-Bretagne, en Allemagne et en Australie, auprès d'individus « leaders d'opinion, bien éduqués et attentifs aux médias », par la société de relations publiques Richard Edelman, *Le Monde*, 4-5 février 2001.

l'environnement, de l'aide au développement, de la lutte contre les mines antipersonnel, de la campagne en faveur des malades du SIDA en Afrique.

Les plus importantes ont développé une capacité d'expertise qui souvent fait défaut à l'État. Très actives sur le terrain où se déroulent des conflits, elles sont une source d'informations pour les pouvoirs publics et les médias. Certains États, comme le Canada ou les pays d'Europe du Nord, les considèrent comme des partenaires privilégiés de la diplomatie et les intègrent dans leurs délégations internationales. Dans les pays autoritaires – Chine, Russie et certains pays islamiques –, elles sont perçues comme des forces d'opposition et le régime les combat, tente de les discréditer ou ne reconnaît que celles qu'il a lui-même créées. Entre les deux, des États comme la France entretiennent avec elles des relations ambiguës, empreintes de méfiance. Une coopération s'est établie, à la carte, en fonction des enjeux : elles peuvent être tantôt des partenaires, tantôt des gêneuses, dont les ambitions portent atteinte à la souveraineté de l'État. Hubert Védrine n'a jamais caché l'agacement que provoquent chez lui ces États qui ne décident jamais avant d'avoir consulté leurs ONG[2]. Michel Doucin analyse, ci-dessous, le contenu de cette relation ambiguë et relate, en témoin privilégié, comment le Quai d'Orsay a accueilli ces nouveaux intrus. Guillaume Devin décrit les attentes des ONG, leurs frustrations mais aussi, au risque de surprendre, leurs motifs de satisfaction.

**Samy Cohen**

---

2. Cf. ci-dessus l'interview qu'il nous a accordée.

# Société civile internationale et diplomatie : l'exception française

Michel Doucin

Diplomate français ayant consacré une bonne partie de ma vie professionnelle à organiser le dialogue entre le Quai d'Orsay et les différents courants et formations de notre société civile, il m'est dévolu le redoutable privilège d'exprimer mon point de vue sur un sujet complexe : les relations qu'entretient la diplomatie officielle française avec la partie de la société civile de notre pays qu'intéressent les questions internationales[1].

## Une vieille histoire moderne

La complexité des rapports entre les grandes ONG humanitaires et nos États modernes évoque, à certains égards, ceux qui lièrent et

---

1. Par « société civile », on entendra ici les organisations et mouvements de citoyens qui se mobilisent face et en complément des institutions représentatives de la puissance publique, nationales ou internationales, selon la définition donnée par Locke. Par organisations non gouvernementales, on retiendra le sens très large adopté par l'Organisation des Nations unies : tout ce qui exprime l'opinion collective des peuples du monde, associations de solidarité et de défense des droits, mais aussi syndicats, organisations patronales, mouvements citoyens. Autrement dit, ces deux quasi-synonymes seront utilisés comme tels.

opposèrent aux institutions absolutistes, tout au long de l'histoire européenne, des mouvements revendiquant une part d'autonomie dans le jeu diplomatique international. Ainsi, dès la fin du Moyen Âge, ordres hospitaliers et ligues de cités marchandes s'affrontent, à cette fin, à la papauté et aux monarchies.

À partir du XVIII<sup>e</sup> siècle et pendant deux siècles, la communauté internationale des philosophes, relayée par les ligues abolitionnistes et des droits de l'homme, puis par le mouvement syndical, participe, dans un jeu ambivalent avec les pouvoirs étatiques, à l'accouchement de la démocratie et à la poursuite d'un idéal de paix. Dès 1918, des fédérations internationales d'anciens combattants se constituent, avec l'ambition d'éteindre l'idée même de belligérance.

C'est dans cette longue histoire que s'inscrit l'article 71 de la Charte des Nations unies qui, au lendemain de la Seconde Guerre mondiale, prévoit que des « organisations non gouvernementales » représentatives de l'opinion publique mondiale pourront être entendues par le Conseil économique et social des Nations unies. La Société des nations a montré qu'une organisation d'États poursuivant un idéal de paix, fonctionnant de façon autarcique, pouvait être vaincue par la fièvre belliciste de quelques-uns. La nouvelle institution, représentative des « peuples du monde », ouvre une fenêtre sur les autres formes d'expression des nations, leurs sociétés civiles.

À cette époque, dans une France à peine sortie de quatre ans de guerre fratricide, ces « ONG » sont peu nombreuses : ce sont principalement les branches nationales, plus faibles qu'ailleurs, de grands mouvements caritatifs (Caritas, Croix-Rouge) ou les « compagnons de route » du mouvement communiste internationaliste. Et durablement, en France, l'idée pacifiste, prolongée par le militantisme anticolonial, va être incarnée par ces derniers. Dans la mouvance politique démocrate-chrétienne apparaissent, symétriquement, des associations promouvant l'idée européenne. La gestion douloureuse de la décolonisation voit la diplomatie française sévèrement condamnée par de grandes ONG internationales derrière lesquelles elle repère, parfois un peu vite, outre le mouvement communiste international, des lobbies nord-américains ou une idéologie « tiers-mondiste ».

Des ONG de développement se constituent en France au lendemain des décolonisations. Les plus importantes sont des initiatives soit de grandes confessions (Comité catholique contre la faim et pour le développement, Service protestant de mission, Délégation catholique pour la coopération...), soit de l'État gaulliste (Association française des volontaires du progrès, Comité français contre la faim). Elles affirment des orientations résolument apolitiques et un souci d'agir dans le concret. Les « French doctors », qui naissent en 1968 à l'occasion de la guerre du Biafra, nullement en rupture avec cette éthique, reprochent au gouvernement de trahir les principes gravés dans la Constitution. Ils font avec succès appel à la pression de la presse et plaident pour un « droit d'ingérence » qui agace durablement le Quai d'Orsay. Non sans ambiguïté, puisque quatre de leurs chefs deviendront ministres de l'« action humanitaire ».

Dans le contexte de la guerre froide finissante, de nombreuses organisations non gouvernementales du « monde libre », encouragées par leurs États, appuient l'émergence de sociétés civiles dans les pays d'Europe de l'Est. La diplomatie française s'efforce alors d'occuper une position charnière dans l'organisation du monde. Cela suppose qu'elle soit acceptée des deux côtés du rideau de fer. Pas question donc de chagriner Moscou. Les ONG françaises, sauf exception, vont coller à cette approche dite apolitique.

Dès la Perestroïka et après la chute du Rideau de fer, le jeu diplomatique est désormais beaucoup plus ouvert. D'autres acteurs interfèrent dans les négociations internationales. La mise en œuvre d'une libéralisation commerciale et financière aux effets asymétriques suscite l'apparition dans les enceintes internationales de deux fronts opposés : les lobbies économiques se dotent d'experts du meilleur niveau pour argumenter techniquement sur l'opportunité d'un surcroît de dérégulation ; leur faisant face, des organisations préoccupées par la dégradation de la viabilité de notre biosphère dénoncent la prétention du libéralisme à y porter remède par le seul marché et plaident pour des régulations mondiales et une gestion à long terme. La société civile française, mal préparée à ces questions (on y reviendra), et notre diplomatie, écartelée entre plusieurs convictions, vont durablement rester à l'écart de ces débats.

Ce bref et sans doute simpliste survol historique souligne que l'apparition de la « diplomatie des ONG » plonge ses racines profondément dans l'histoire européenne puis internationale et est très liée à la production de la démocratie. C'est un brevet de légitimité. Il signale aussi qu'une spécificité française est apparue à la moitié du XXe siècle : les ONG, soupçonnées d'être les satellites de partis politiques et, pis encore, d'intérêts étrangers, font alors le choix de l'activisme « développeur » ou humanitaire.

## Nouvelle donne

L'échec, en mai 1996, à Genève, de la conférence de révision du traité de 1980 sur les mines est une pierre fondatrice d'une nouvelle manière de faire la diplomatie, qui va entraîner une rapide mutation du fonctionnement de la société civile française. Depuis quatre ans, une coalition d'ONG avait réuni des millions de signatures sur une pétition demandant un traité interdisant totalement les mines antipersonnel. Voyant la conférence onusienne réunie pour en débattre s'acheminer vers un compromis piteux, elle fait pression avec succès pour la faire avorter. Elle convainc aussitôt le gouvernement canadien de reprendre la balle au bond. Un an et demi plus tard le traité d'Ottawa marque la réussite de cette stratégie, récompensée dès l'année suivante par le prix Nobel. Handicap International, ONG française, a fait partie des animateurs de l'opération. La diplomatie française a été tenue à l'écart de la seconde négociation, sauf dans la phase ultime, où Handicap aide à sa réinsertion. Un certain nombre d'associations françaises de défense des droits de l'homme participent peu après à un scénario voisin. Il aboutit à la création de la Cour pénale internationale par la Convention de Rome. Dans la foulée, les manifestations de Seattle inaugurent un nouveau visage de cette « nouvelle diplomatie » : elle s'appuie désormais aussi sur la violence de rue pour entraver des négociations interétatiques jugées inéquitables.

Les diplomaties professionnelles de la plupart des grands pays ont cherché, ces dix ou vingt dernières années, à s'adapter à cette nouvelle donne, établissant des partenariats avec certaines ONG. Ainsi, l'USAID s'appuie-t-elle sur de grandes fondations américaines pour susciter, dans les pays en développement, et particulièrement les anciens États communistes, l'apparition d'organisations de la société civile militant pour les droits civiques et la libéralisation. La diplomatie allemande confie aux fondations Friedrich-Hebert et Konrad-Adenauer, ainsi qu'à ses syndicats, la mission d'accompagner la définition des nouvelles règles sociales dans ces pays. La galaxie des grandes ONG britanniques, en proximité avec le Foreign Office, investit dans l'organisation des processus électoraux et la création de partis politiques. Par ONG occidentales interposées, un Monopoly diplomatique se déploie, particulièrement en Europe de l'Est.

La France, sauf exceptions que nous évoquerons plus loin, marque une certaine défiance vis-à-vis de telles évolutions. Pourquoi ? Les raisons avancées de part et d'autre sont variées.

Un principe éthique est tout d'abord mis en avant : de telles alliances aboutiraient à « manipuler » la société civile française et à prendre le risque de l'être par elle. Interrogés à ce sujet, les responsables des ONG anglo-saxonnes et allemandes haussent les épaules : le consensus sur les options essentielles de la diplomatie de leur pays leur semble suffisamment large pour que le problème ne se pose guère ; et ils se considèrent comme assez professionnels et forts pour éviter le piège de la manipulation. Serions-nous le pays du « dissensus » entre l'État et la société civile en ce qui concerne l'international ? Ce serait étrange dans un pays qui se flatte au contraire d'un fort consensus politique sur ce chapitre. Aurions-nous également une société civile plus faible qu'ailleurs ? Bref, nous arrivons très vite à l'idée qu'il y aurait une spécificité française dans ce domaine. Arrêtons-nous-y.

## Efforts

À différentes reprises, de hauts responsables de la diplomatie française se sont efforcés de proposer à notre « société civile » un certain partenariat. En 1965, un service de liaison avec les organisations internationales non gouvernementales est créé au sein de la direction des affaires politiques du Quai d'Orsay. Une circulaire, cinq ans plus tard, en expose les missions aux ambassadeurs :

> L'efficacité des ONG se révèle au plan politique : les mouvements d'étudiants ont fait, défait ou déséquilibré nombre de gouvernements en ces dernières années [...] Au plan économique et social, elle s'exprime par le volume de leur aide au développement [...] On chiffre à un minimum de 1 milliard de dollars le montant global de l'aide fournie par les associations internationales, [...] d'où leur utilité complémentaire à celle des États et organismes intergouvernementaux, dont l'aide est indirecte. [...]

La contribution des ONG représente donc le dixième de l'aide. [...] Leur prestige ou celui de leurs dirigeants, la composition de leurs états-majors, la localisation de leurs sièges internationaux et régionaux sont des éléments qui jouent en faveur de l'influence d'un pays ou, au contraire, la défavorisent.

La circulaire Jurgensen conclut en recommandant aux ambassadeurs de « développer des contacts avec ces organismes [qui] s'apparentent à ceux que leur service de presse prend avec les journaux et personnalités du milieu de l'information ».

Dix ans plus tard, le secrétaire général du Quai d'Orsay, Bruno de Leusse, assigne à la mission de liaison avec les ONG, nouveau nom donné au service, « de faire connaître et d'expliquer aux associations la politique extérieure de la France pour leur permettre, si elles le désirent, de mieux orienter et structurer leurs interventions dans les congrès du mouvement associatif international et dans les conférences intergouvernementales auxquelles elles participent en qualité d'observateurs ». Réciproquement, il s'agit d'écouter les associations « pour interpréter correctement leurs préoccupations et les aider à aboutir, si celles-ci nous paraissent légitimes ».

En 1987, le directeur de la coopération scientifique et technique du ministère des Affaires étrangères, Jacques Laureau, nomme auprès de lui un chargé de mission (moi-même) pour les relations avec les ONG et les collectivités locales. La décision est prise, peu après, de créer, en commun avec le ministère de la Coopération, un service : le département de la coopération non gouvernementale. Celui-ci met en place des cofinancements avec les organisations non gouvernementales et les collectivités locales pour soutenir des projets cohérents avec la coopération interétatique. Puis, en 1988, est lancé le « programme solidarité habitat », destiné à organiser des opérations conjointes, en milieu urbain, entre acteurs d'État, collectivités locales, organismes techniques et associations de solidarité. Charles Josselin, président du conseil général des Côtes-d'Armor, en prend la tête.

En 1989, une nouvelle circulaire, signée d'un autre secrétaire général du ministère des Affaires étrangères, François Scheer, débute ainsi :

La place prise par les ONG dans la vie internationale et l'intérêt qu'elles suscitent dans leurs actions dans les secteurs les plus divers (humanitaire, droits de l'homme, syndical, développement, environnement...) attirent quotidiennement l'attention. Le gouvernement entend, pour sa part, favoriser d'une manière générale l'action de ces associations [qui] jouent un rôle irremplaçable.

Elle poursuit en conseillant aux ambassadeurs de France d'être

personnellement attentif[s] à l'action des ONG qui interviennent dans les secteurs humanitaires et des droits de l'homme [et lorsque leurs] interventions peuvent se heurter au mauvais vouloir ou à l'hostilité des autorités locales [...] de leur accorder toute l'assistance voulue et d'informer sans délai le Département.

Elle conclut par la précision :

Autonomes et libres dans leurs actions elles peuvent, le cas échéant, ne pas partager l'ensemble des analyses du poste. Elles ne méritent pas moins votre soutien.

Le flambeau est repris, en 1997, par Bertrand Dufourcq, le successeur de François Scheer. Constatant que les ONG sont « devenues des acteurs de plus en plus présents dans les relations internationales », la circulaire enjoint à l'ensemble des directions politiques du Quai d'Orsay d'organiser des relations suivies avec elles. On notera que toutes ces instructions s'attachent à souligner que l'autonomie politique des ONG est une réalité et un atout, l'objectif de manipulation étant à écarter absolument.

À cette même époque, j'occupe les fonctions de chef de la mission de liaison avec les ONG, et j'inaugure la pratique consistant à réunir, autour des ambassadeurs nouvellement affectés, les principales organisations non gouvernementales actives dans le pays qu'ils s'apprêtent à rejoindre. Ces conférences sont l'occasion pour celles-ci de présenter leurs activités, mais aussi d'échanger des avis sur la situation économique, politique et sociale du pays. Différentes initiatives complémentaires s'instaurent alors, telle la réunion régulière des ONG travaillant en Afghanistan autour du chargé d'affaires français dans ce pays, en vue de suivre attentivement l'évolution de la situation et d'harmoniser les positions concernant la question des droits des femmes. Ou celle amenant chaque mois une trentaine d'ONG et de collectivités locales françaises à réfléchir avec le ministère des Affaires étrangères à la façon dont la reconstruction des pays d'Amérique centrale touchés par le cyclone Mitch pourra échapper au piège de la corruption. Cette initiative débouchera sur la préparation conjointe du comité consultatif des donateurs de Stockholm et la participation de représentants du groupe de travail à cette réunion. Ou encore la concertation qui prépare la conférence des ministres de l'espace Euromed de Stuttgart, en 1998, renouvelée deux ans plus tard pour celle de Marseille.

Plus audacieux, le directeur des Affaires stratégiques et du désarmement, Régis de Belenet, demande en 1997 à la mission de l'aider à réunir les ONG françaises participant à la campagne internationale contre la prolifération des armes de poing et de petit calibre, pour nouer un dialogue sur le sujet. Quelques mois plus tard, le gouvernement français, inspiré par ces discussions, présente un plan sur ce thème à l'Organisation des Nations unies et à l'Union européenne. Une autre expérience est conduite avec la même direction : depuis 1990 tous les grands pays occidentaux, sauf la France, ont saisi l'opportunité des missions d'observation des élections de l'OSCE pour peser sur le processus démocratique en Europe de l'Est. Il est alors décidé de faire appel à une grande ONG fédérant plusieurs milliers de retraités pour assurer désormais une participation française à ces missions. L'OSCE, satisfaite, demandera ultérieurement à cette ONG de lui fournir des cadres pour intégrer les états-majors d'autres missions.

## Condescendance

Si des contacts entre diplomates français et responsables d'ONG, tant à Paris que dans les postes, sont, depuis quelques années, relativement réguliers, les responsables de grandes ONG internationales jugent cette relation moins dense que celle qu'ils connaissent avec leurs gouvernements et leurs représentants. Des pans entiers de la fonction diplomatique, sujets, dans les autres pays développés, à des concertations régulières, seraient, en France, tabous : la définition des stratégies de négociation dans les instances internationales, l'ensemble des questions de politique extérieure européenne et les questions relatives à la paix.

Sans doute ces opinions idéalisent-elles la transparence qui existerait entre ONG et pouvoirs publics dans d'autres pays. Mais il vaut la peine de s'arrêter quelques instants aux raisons qui retiennent la diplomatie française, en dépit des circulaires réitérées l'engageant à plus d'audace, d'entretenir des relations confiantes avec notre société civile.

Que dit-on dans les couloirs du Quai d'Orsay ?

1) *Nous n'avons pas d'ONG du niveau de puissance et de capacité d'influence des grandes organisations nordiques ou des anglo-saxonnes. Celles que nous considérons de taille importante n'arrivent qu'à la cheville de celles-ci : il faut cumuler les budgets de Médecins sans frontières, Médecins du monde et Handicap International pour arriver au niveau d'Oxfam ou de Care.*

En 1998, une note interne du ministère des Affaires étrangères suggérait que l'État portait là quelque responsabilité en refusant de financer à un niveau suffisant et de façon pérenne les collectifs d'ONG, ne leur attribuant que moins de 1 % de la gestion de l'aide publique au développement (la moyenne est supérieure à 10 % en Europe) et de leur accorder des avantages fiscaux qui stimulent réellement les dons privés. L'État français s'est fabriqué ainsi les ONG qu'il souhaitait inconsciemment, c'est-à-dire non susceptibles de contester son hégémonie. Elles sont trop faibles économiquement pour se doter de personnels se consacrant au « lobbying » international. Médecins sans frontières et la Fondation pour le progrès de l'homme (celle-ci du reste à capitaux suisses) sont des exceptions, de ce point de vue.

2) *Les ONG françaises n'ont d'intérêt que pour l'action concrète et dédaignent les enceintes de négociation internationale. Le nombre dérisoire de candidatures françaises au statut d'ONG accordé par les Nations unies atteste de cette orientation « terrain ».*

La même note interne expliquait que, si elles se tiennent éloignées de telles enceintes, c'est principalement du fait de leur faiblesse financière. Et elle signalait aussi que les choses changent très vite. Elles ne sont pas absentes « off et in » des charivaris accompagnant désormais les réunions de chefs d'État. Surtout, elles manifestent, depuis Ottawa, un intérêt certain pour le lobbying. Ainsi, une trentaine (fait sans précédent) d'entre elles, en mai 2000, ont fait le voyage de New York pour participer au Forum du millénaire organisé par Kofi Anan. Elles ont su habilement prendre le pouvoir dans le comité de rédaction de la motion finale, forçant la main des organisateurs. Le rapport, mémorable, rédigé au retour, exprimait l'étonnement et l'agacement d'avoir constaté que les leaders de ce Forum étaient des organisations confessionnelles.

Il concluait sur la résolution de suivre désormais attentivement la préparation des conférences onusiennes.

*3) Elles n'ont pas l'encadrement leur permettant de mener avec professionnalisme leurs missions et encore moins de se mêler de l'art complexe de la diplomatie planétaire.*

Argument étrange, répondait le même document interne, s'agissant d'une corporation qui détient probablement le record mondial de hauts fonctionnaires présents dans ses conseils d'administration : anciens préfets, ambassadeurs, recteurs, inspecteurs des Finances, officiers supérieurs et ingénieurs en chef... De même que d'anciens ministres font fréquemment une dernière carrière, bénévole, à la tête d'ONG françaises.

## Distance avec les sociétés civiles des autres pays

Une diplomatie est un rapport construit avec les autres nations. Au-delà de la relation incontournable avec les États, elle se doit d'entretenir des contacts avec les forces politiques et sociales des pays. Il semble qu'il y ait, là aussi, une « exception française », dont les ONG font le reproche à la diplomatie de leur pays. Elles ne sont pas les seules.

Visitant un proche conseiller d'un chef d'État africain, dont l'élection récente constituait la première alternance depuis des décennies, un ambassadeur de France s'est entendu dire :

C'est grâce aux coopérations d'autres pays que le vôtre que nous sommes là. En soutenant le développement d'organisations de la société civile, ces pays ont aidé nos concitoyens à mûrir, à se penser libres. Lorsque le temps des élections est venu, pour la première fois, ils ont envisagé l'alternance sans angoisse. Votre coopération, qui ne s'est intéressée qu'à l'État, doit en tirer des leçons.

Notre diplomatie et notre politique de coopération se consacrent essentiellement, de leur aveu même, à l'appui institutionnel aux structures publiques. L'assistance aux organisations de droit privé est exceptionnelle. Lorsque même notre coopération affiche pour objectif l'appui à la démocratisation et aux libertés fondamentales, ce sont presque exclusivement les États qui en sont les bénéficiaires.

Est-ce la conséquence du rôle particulier que la diplomatie française s'est assigné pendant la guerre froide ? Nos ambassades répugnent pour la plupart à avoir des contacts réguliers avec les forces politiques d'opposition. Encore plus avec les organisations sociales. Elles redoutent de se voir reprocher une forme d'ingérence et craignent les réactions des gouvernements en place. Telle n'est pas l'attitude des autres ambassades occidentales. On pense à cette phrase de Tocqueville : « Ce qui nous porte encore à ne voir dans la liberté d'association que le droit de faire la guerre aux gouvernants, c'est notre inexpérience en fait de liberté. » La diplomatie d'un pays qui vient de fêter les cent ans de sa liberté associative ne devrait pas partager de telles craintes.

Elle le doit d'autant moins qu'une dynamique est à l'œuvre, posant la question de façon nouvelle. Jusqu'aux dernières années du XXᵉ siècle, la société civile n'existait, dans le tiers-monde, que sous la forme de courants religieux. L'Amérique latine faisait exception, avec de grands mouvements sociaux nés de la crise du système latifundiaire et de la fin des dictatures : sans-terrisme, défenseurs des droits des peuples indigènes, associations de citoyens...

Au tournant des années 1980, les ONG de développement et de droits de l'homme du Nord poussent leurs interlocuteurs du Sud à se doter d'organisations représentatives : de producteurs, de femmes, de villages, de coopérateurs, de gestionnaires de centres de santé primaire... Les bailleurs de fonds multilatéraux, Banque mondiale et PNUD en tête, découvrant les méfaits sociaux des politiques d'ajustement structurel auxquels ils ont soumis pendant dix ans les pays pauvres, prônent l'émergence d'organisations représentant les populations démunies. Leur objectif est désormais la lutte contre la pauvreté, et le plus grand doute pèse sur la volonté et la capacité des États d'y contribuer seuls. Les coopérations bilatérales leur emboîtent le pas, y compris celle de notre pays : après la dévaluation du franc CFA, en 1995, elle met à la disposition de ses ambassades une enveloppe destinée à financer des projets à caractère social destinés aux organisations proches des pauvres.

Parallèlement, les politiques de « codéveloppement », visant à favoriser le retour au pays des migrants, encouragent l'organisation de ces derniers. Enfin, l'arrivée sur le marché du travail des pays pauvres de nombreux diplômés-chômeurs, dans un contexte où les bailleurs de fonds font l'apologie des ONG locales, pousse à la floraison d'innombrables associations unipersonnelles en quête de contrats d'étude ou de maîtrise d'ouvrage.

Une dynamique d'accouchement artificiel de sociétés civiles nationales est en marche, dont on ne sait pas ce qu'il sortira. Elle suscite appréhensions et appétits. Dans les enceintes internationales et dans les rues attenantes aux bunkers dans lesquels s'enferment désormais les réunions de chefs d'État, chacun est conscient du fait qu'actuellement ce sont essentiellement les sociétés civiles des pays développés (Amérique latine mise à part) qui s'expriment. Les animateurs des collectifs d'ONG, tout comme les responsables des institutions internationales concernées, s'efforcent de pousser le réseau associatif des pays du Sud à être présent. C'est-à-dire à apporter sa caution. La porte est ouverte à toutes les manipulations.

### Scepticisme vis-à-vis de la « société civile mondiale »

Manipulation. C'est précisément le terme employé, depuis peu, par certains hauts diplomates français ; ils voient dans les ONG qui se proclament les porte-parole de la « société civile mondiale » les faux nez d'intérêts économiques (éventuellement mafieux), de courants politiques (parfois extrémistes) ou de mouvances religieuses (dont certaines, radicales) ayant l'ambition d'exercer une illégitime domination mondiale. L'accusation est recevable. Mais tout le mouvement associatif mondial ne peut être mis dans le même sac. Et, au demeurant, le dénoncer ne suffit pas à empêcher ce convive importun, produit par des processus dont la politique de coopération française participe aussi, de s'inviter au banquet de la négociation mondiale.

Cette « société civile mondiale » est un acteur complexe, méritant comme tel un travail d'approche et d'observation dans les pays où elle prend racine juridiquement. Car de fait, très rares, grandes confessions et syndicats mis à part, sont les ONG ayant un caractère vraiment international. La base des ONG demeure le droit national associatif. Une ONG naît d'abord dans un pays, et, depuis ce QG, s'efforce de bâtir un réseau international. L'observation du fonctionnement du centre de ces réseaux et de leurs relations avec la périphérie, négligée par les diplomaties occidentales, et tout particulièrement par la nôtre, est d'une importance incontestable. C'est faute de ce travail que les États membres du comité des ONG des Nations unies, organe habilité à accorder le « statut consultatif » de cette institution aux organisations qui le demandent, ont laissé s'introduire, au sein de l'ONU, nombre de fausses ONG, qui reçoivent directement leurs ordres de gouvernements ou d'obédiences religieuses radicales. De façon plus générale, ce qui est à l'œuvre dans le tiers-monde, l'émergence de sociétés civiles plus ou moins autonomes, est lourd de conséquences pour notre avenir commun.

Par ailleurs, les grandes ONG internationales savent aujourd'hui intéresser les médias, manifestant un professionnalisme certain dans le domaine de la communication. C'est un volant de pression réel sur les diplomaties classiques. Celles-ci sont mises au défi de modifier leur pratique pour parer à ce phénomène, désormais constant. La meilleure attitude est l'anticipation, qui suppose une bonne connaissance du milieu. Quatre circulaires signées au plus haut niveau du Quai d'Orsay, dont certaines, de façon visionnaire, voilà trente ans, ont cherché à intégrer ces données et à infléchir une « culture maison » frileuse et hautaine, encline à laisser les « moustachus » de la DGSE se charger des contacts avec les ONG.

Un nombre croissant de diplomates français est convaincu que la modernisation de la diplomatie passe par le dialogue, la transparence et la recherche d'alliances avec tout ce qui concourt à fabriquer l'opinion publique. Les organisations de la société civile française sont un élément clé. Ce travail est compatible avec le respect de leur autonomie. Ces diplomates perçoivent aussi, plus confusément, la nécessité de se frotter aux sociétés civiles des autres pays, ainsi qu'à celle, dite mondiale, qui revendique une place aux négociations internationales. Une nouvelle manière d'exercer le métier diplomatique se cherche. Le nombre de ceux qui partagent la conviction centrale du mal nommé « mouvement antimondialisation » est, au demeurant, important : la politique officielle proclame elle-même que le marché ne produit pas spontanément un bon nombre des biens essentiels à la survie de l'humanité et qu'il doit être, pour cela, régulé.

Cette « société civile mondiale » est un enjeu. Certains événements récents l'ont signalé. Lors du Forum social de Porto Alegre, début 2001, où les ONG françaises ont joué un rôle important, l'objectif, affiché par les organisateurs, de positiver la contestation a provoqué des tensions très vives : les partisans d'une mondialisation tempérée par des mécanismes régulateurs au plan social et environnemental se sont heurtés à des opposants radicaux représentant des mouvances politiques extrémistes. La « découverte » récente de fausses ONG servant de relais à des entreprises terroristes ou mafieuses a signalé une autre face des luttes de pouvoir à l'œuvre.

### « Un nouveau partenariat »

Les discours les plus récents du Premier ministre français et de son ministre des Affaires étrangères ont marqué une nette évolution, signalant une prise de conscience des enjeux. Début juillet 2001, s'adressant au Haut Conseil de la coopération internationale, Lionel Jospin lui a demandé d'aider les diplomates français à préparer un certain nombre de grandes échéances internationales, telle la conférence de Johannesburg sur le développement durable. Cette instance réunit, autour de l'ancien ministre Jean-Louis Bianco, soixante personnalités de la société civile française : associations de collectivités locales, organisations patronales, syndicats, universitaires, associations de migrants et parlementaires. L'installant fin 1999, le Premier ministre lui avait proposé « d'inventer un nouveau partenariat entre la société civile et l'État ». Dix-huit mois plus tard, le Premier ministre indiquait que les travaux du Haut Conseil avaient déjà inspiré plusieurs décisions gouvernementales.

L'Agence française de développement, « bras armé » de la coopération française, a, quant à elle, depuis peu créé un club des ONG, où ses orientations stratégiques sont débattues. Le ministre de l'Économie, des Finances et de l'Industrie ainsi que le ministre délégué à la Coopération et à la Francophonie organisent régulièrement des consultations des organisations françaises de solidarité internationale avant les grands rendez-vous internationaux auxquels ils se rendent.

Un processus positif de reconnaissance de complémentarités est à l'œuvre. La diplomatie française se modernise en s'ouvrant. Avec quelques hoquets et crispations passagères. Les responsables des principales organisations de notre société civile font eux-mêmes une partie du chemin symétrique, recherchant le dialogue avec l'État. Le très rapide développement du mouvement ATTAC mérite attention : fort de ses trente mille membres et de nombreuses structures régionales, il focalise le débat sur la régulation des marchés financiers et la réforme des institutions internationales. L'apparition de la comète ATTAC traduit un tournant dans l'attitude de la société civile française, passée désormais d'une approche « terrain » à une démarche globale réconciliée avec le politique. Au contraire de ce qui se passe dans d'autres pays, et ce peut être un atout, chacun des deux camps est conscient des différences et avance les yeux grands ouverts, sans angélisme.

Le temps paraît donc venu de dépasser, en France, nos querelles de légitimités, nos contestations de compétences et nos divergences de méthodes. Objectif commun : que le 1 % de la population mondiale que nous sommes fasse entendre utilement sa voix dans ce qu'on n'ose plus appeler le concert des nations.

**Michel Doucin**

# La diplomatie d'État vue par les ONG

Guillaume Devin

Les figures de la diplomatie étatique et des ONG sont si diverses que les perceptions des premières par les secondes sont une question à laquelle il est imprudent de répondre en termes trop généraux. Le monde des ONG françaises et, plus précisément, celui des organisations de solidarité internationale (OSI) est vaste. Les dernières estimations font état d'environ cinq cents organisations de dimension nationale et déclarant un budget annuel supérieur à 50 000 francs[1]. Seule une minorité de ces organisations (entre 10 et 20 %) entretient des relations plus ou moins régulières avec les pouvoirs publics. Le milieu non gouvernemental est également hétérogène. Partagé entre des organisations à l'histoire, aux objectifs et aux moyens souvent différents, il est fait de relations personnelles et collectives complexes mêlant amitiés et rivalités, coopérations et concurrences.

---

1. *Associations de solidarité internationale. Répertoire 2000*, Paris, Commission Coopération et Développement (COCODEV), 2000.

A priori, le monde de la diplomatie d'État est plus homogène : le recrutement, la formation et la hiérarchie donnent une certaine unité à l'administration diplomatique. Mais c'est sans compter avec l'autorité plus ou moins marquée des impulsions ministérielles, l'autonomie relative des directions et des postes diplomatiques, la rivalité entre les services et le poids des personnalités. La perception de la « diplomatie d'État » – de ses objectifs, de ses méthodes et de ses agents – par « les ONG » – un groupe limité à travers la parole de quelques responsables – est donc nécessairement partielle, fragmentée, en fonction des expériences et des interlocuteurs.

Il ne saurait être question d'établir ici un bilan détaillé et définitif des relations entre ces deux mondes, dont les caractéristiques principales sont à la fois la nouveauté et l'évolution. Plus modestement, les observations qui suivent relèvent d'une approche panoramique et pointent, à grands traits, les motifs de satisfaction et de frustration exprimées par certaines ONG dans leurs relations avec la diplomatie d'État. Ces indications sont tirées d'une série d'entretiens avec les responsables de quelques ONG qui, à des titres divers (défense des droits de l'homme, urgence humanitaire, coopération et développement, participation à la négociation de conventions internationales), fréquentent assez régulièrement les services diplomatiques et leurs agents[2]. L'échantillon n'a pas de prétention représentative et la méthode est fragile, mais les témoignages convergent autour de constats et de souhaits partagés. Peut-être est-ce là le plus étonnant pour l'observateur. Au-delà de la diversité des expériences non gouvernementales, il y a bien une perception relativement concordante de la diplomatie française.

---

2. Que soient remerciés pour leur disponibilité : à la Fédération internationale des droits de l'homme (FIDH), Antoine Bernard, directeur général, Jeanne Sulzer, chargée du programme justice internationale, Marie Guiraud, responsable du bureau droits économiques, sociaux et culturels, et Christian Mounzeo, secrétaire général de l'Observatoire congolais des droits de l'homme (organisation affiliée à la FIDH) ; à Médecins du monde (MDM), Daniel Cahen, responsable de l'unité des droits de l'homme, et Bernard Jacquemart, responsable de l'unité de veille et d'analyse des crises ; à Action contre la faim (ACF), Jean-Luc Bodin, directeur général ; à Reporters sans frontières (RSF), Robert Ménard, secrétaire général ; à Handicap International (HI), Philippe Chabasse, codirecteur.

## Des signes d'ouverture

Le sentiment est général : le climat a changé. Le temps n'est plus au caporalisme de certains services ou chefs de poste ni au paternalisme du « Bureau des œuvres privées[3] ». Les contacts se sont développés et normalisés. Il n'est plus inhabituel de se téléphoner, de se voir et d'échanger des informations : les responsables interrogés admettent volontiers que les ONG ont acquis progressivement une « reconnaissance » de la part du Quai d'Orsay. Leurs informations et leur « expertise » sont écoutées, voire prises au sérieux, même si le dialogue reste ponctuel et ne se traduit pas par des rencontres régulières et institutionnalisées (à l'exception des réunions du Haut Conseil de la coopération internationale, dans lesquelles les ONG ne sont pas les seuls partenaires des pouvoirs publics et dont l'utilité est controversée). Cette tendance à l'ouverture est bien reçue. Elle est perçue comme un mouvement plutôt général bien que différencié : les signaux relativement nets à l'échelon ministériel seraient inégaux selon les directions et beaucoup plus variables sur le terrain.

En fait, l'ouverture en direction des ONG était déjà ancienne de la part du ministère de la Coopération. L'arrivée au pouvoir de la gauche en 1981 a incontestablement marqué un tournant. C'est le ministère des Affaires étrangères (MAE) qui a montré le moins d'intérêt et le plus de résistance[4]. En un sens, la réforme de 1999 aboutissant à l'intégration des services de la Coopération dans une seule direction générale du Quai (la Direction générale de la coopération internationale et du développement – DGCID) a joué en faveur des ONG. Les « coopérants » sont arrivés avec leurs contacts et leurs pratiques et, bon gré mal gré, ce sont « les diplomates » qui ont dû accélérer leur adaptation parce que, désormais, la ligne officielle du ministère, dans son ensemble, est de « s'ouvrir à la société civile ».

Le point de départ de cette nouvelle orientation du Quai d'Orsay est antérieur à la réforme mais, vu des ONG, il reste difficile à dater. Les

---

3. Service dépendant du ministère de la Coopération, qui suivait et encadrait, jusque dans les années 1970, l'action des missions religieuses et la prise en charge de certains aspects de l'aide au développement par des acteurs non étatiques.

4. Guillaume Devin, « Les ONG et les pouvoirs publics : le cas de la coopération et du développement », Pouvoirs, n° 88, 1999.

souvenirs des intéressés ne retiennent aucun fait précis, mais plutôt des effets de conjoncture liés au développement de l'interventionnisme onusien après 1989, aux collaborations *ad hoc* provoquées par la guerre du Golfe et les conflits de l'ex-Yougoslavie ou encore aux « mobilisations citoyennes » antimondialisation. L'appréciation des impulsions ministérielles n'est pas plus discriminante. Sans revenir aux initiatives de Jean-Pierre Cot (1981) et de Bernard Kouchner (1988), l'action des ministères Juppé et Védrine est jugée « positive », mais sans que l'un ou l'autre des ministres puisse s'arroger le monopole de l'ouverture. Cette difficulté à privilégier un temps fort sur un autre dans une évolution qui est reconnue, par ailleurs, indéniable n'est pas entièrement surprenante. Elle rejoint la conviction de nombreux responsables d'ONG que l'ouverture du MAE est un processus qui s'est imposé aux décideurs bien plus qu'il n'a été choisi. La sortie de la guerre froide est ainsi assimilée à un déclin de la diplomatie française, à une perte d'influence sur le cours des événements face à la diplomatie d'autres États (notamment celle des États-Unis et du Royaume-Uni). L'abandon (relatif) du « champ[5] », l'impréparation à l'égard des nouvelles perspectives européennes, les hésitations concernant le conflit bosniaque ont laissé l'image d'une administration incapable de définir des priorités et désorientée par de laborieuses tentatives de réorganisation.

À tort ou à raison, mais par effet de contraste, les ONG n'avaient jamais paru aussi présentes. Le cafouillage de la diplomatie d'État, l'aide des médias et la bonne conscience du public ont accru leur visibilité plus que toute autre campagne publicitaire. Certaines organisations n'avaient jamais accédé à un tel statut de « puissance médiatique » et ne le souhaitaient pas nécessairement. Mais un nouveau décor était planté et les diplomates ne pouvaient plus l'ignorer. Ils pouvaient même espérer en tirer parti : on retrouve dans les milieux non gouvernementaux cette crainte de l'instrumentalisation mêlée à la satisfaction d'avoir forcé les portes d'une administration conservatrice. De manière complémentaire, il est admis que cette « intrusion » a été plus facilement acceptée et même facilitée par de jeunes diplomates auxquels le monde

---

5. Ensemble des pays d'ancienne influence française et assimilés (soit les ex-colonies françaises d'Afrique, de la Mauritanie à la Côte d'Ivoire, du Togo au Congo).

des ONG paraissait moins étranger qu'à leurs aînés. Néanmoins, la « reconnaissance » demeure avant tout perçue par les ONG comme une figure imposée à la diplomatie d'État. Dans ces conditions, on comprend que la confiance soit encore fragile.

## Des échanges limités

Des manifestations d'intérêt ne font pas une politique. Pour les ONG, les relations avec les diplomates, lorsqu'elles existent, sont encore trop partielles et trop irrégulières pour être satisfaisantes. Le principal reproche vient du retard des consultations. Faute de cadre institutionnel approprié, les rencontres avec le MAE demeurent épisodiques, dictées par des conjonctures de crise plus que par une stratégie de concertation mûrement réfléchie. Ponctuelle, la collaboration, parfois fort bien réussie (lors de la négociation et de la mise en œuvre de la convention d'Ottawa sur l'interdiction des mines antipersonnel avec Handicap International), laisse une impression désordonnée. Des lieux existent (Haut Conseil de la coopération internationale, Commission Coopération et Développement, Commission nationale consultative des droits de l'homme, groupes de travail), des initiatives sont prises (un ambassadeur nouvellement nommé, Patrick Hénault, « chargé des droits de l'homme », qui devrait officiellement faciliter les rencontres avec les ONG humanitaires), mais sans réelle coordination, ni entre les ONG ni entre celles-ci et les pouvoirs publics.

Plus dynamique au niveau du cabinet et de l'administration centrale qu'à celui des postes diplomatiques, cette collaboration *ad hoc* conforte le sentiment d'un manque d'orientations générales et l'idée selon laquelle les ONG sont sollicitées comme auxiliaires occasionnels plutôt que comme partenaires privilégiés. Elle entretient surtout le soupçon d'un double agenda (officiel et officieux) de la diplomatie française et facilite les mauvaises intentions que se prêtent souvent les uns et les autres. De ce point de vue, l'article d'Hubert Védrine, qui mettait en garde contre la diminution du rôle des États et la confiance excessive accordée à « la société civile[6] », a été reçu sans étonnement excessif par

---

6. Hubert Védrine, « Refonder la politique étrangère française », *Le Monde diplomatique*, décembre 2000.

les ONG : il illustrait l'ambiguïté des discours officiels, attestée par une collaboration pratique somme toute limitée. On échange des informations, on parle logistique et financement, mais sans débattre de conceptions ou d'orientations politiques. Au dire de certains responsables d'ONG, le MAE se contenterait d'organisations « techniques » ou « médiatrices » comme la Communauté de Sant'Egidio[7]. Aller plus loin est encore étranger à l'institution. Mais pas nécessairement à tous les diplomates.

La composante personnelle des relations est, en effet, un point jugé décisif. Toutes les ONG insistent sur l'importance de cette dimension dans leurs rapports avec la diplomatie d'État, de telle sorte que celles-ci sont bien plus une affaire de diplomates aux personnalités contrastées, plus ou moins conciliantes et ouvertes, qu'un face-à-face avec une institution anonyme. Responsables de direction, chefs de délégation ou ambassadeurs, le rôle des personnalités est considéré comme déterminant dans les concertations les plus entreprenantes. Il en va ainsi de certaines négociations internationales (comme celles sur la Cour pénale internationale) pendant lesquelles les ONG estiment avoir été alternativement tenues à l'écart ou, au contraire, associées de manière beaucoup plus coopérative selon la personnalité du chef de la délégation française. À ces personnalités réceptives, les ONG associent le profil du diplomate « atypique » (par son parcours social, ses expériences, sa génération), comme s'il fallait être quelque peu marginal dans la carrière pour se risquer à un véritable partenariat. A contrario, on l'aura compris, le milieu diplomatique « typique » jouit d'une assez mauvaise image. Milieu fermé, aux mœurs formelles, personnages hautains aux manières condescendantes, la « culture diplomatique » française est la cible de toutes les critiques. Elle s'oppose presque termes à termes à l'idée que les membres des ONG se font de leur propre « culture » et qu'ils cultivent ostensiblement : une manière d'être décontractée, un style direct et une touche d'audace.

L'extrême prudence du corps diplomatique français et son goût du secret sont des reproches répétés qui visent, plus généralement, une hiérarchie pesante et un fonctionnement endogène. On regrette ainsi,

---

7. J.-L. Marret, « Les ONG et la médiation de la paix : l'exemple de la communauté de Sant'Egidio », *Annuaire français de relations internationales*, Bruxelles, Bruylant, 2000, p. 3-69.

dans le cercle des ONG, la faible propension du Quai à recruter des consultants extérieurs pour améliorer une expertise sérieusement concurrencée par celle d'autres ministères qui se montrent plus entreprenants sur ce point. La Direction des affaires stratégiques (DAS) du ministère de la Défense est souvent citée comme un exemple d'ouverture plus avancée que celle du Centre d'analyse et de prévision (CAP) du Quai d'Orsay. On compare surtout avec les diplomaties britannique, canadienne et américaine pour vanter leur écoute, leur accès facile et leur tradition de dialogue avec les ONG. La mobilité de leurs agents (notamment aux États-Unis) est présentée comme un gage de l'ouverture et de la curiosité intellectuelle qui feraient souvent défaut aux diplomates français. La comparaison ne fait pas toujours dans la nuance, dans la mesure où la mobilité caractérise l'espace restreint des élites politiques, économiques et militaires. Mais c'est l'idée d'expériences multiples qui retient l'attention et qui contraste avec l'image relativement immobile de la diplomatie française : ici, on y entre et on y reste.

Toutefois, le recours aux exemples étrangers ne va pas sans risques. Les diplomates savent aussi en user pour déplorer la faiblesse et l'amateurisme des ONG françaises comparés à la puissance financière et au professionnalisme des organisations anglo-saxonnes. En bref, la valorisation de l'« autre étranger », en des termes convenus, est un discours d'insatisfaction et un argument polémique. Elle dit surtout ce que l'autre n'est pas, ce qu'il pourrait être, mais sans qu'on soit nécessairement prêt à en assumer les conséquences.

### Des métiers différents

Quelles que soient les intentions d'Hubert Védrine dans son article précité du *Monde diplomatique* et dans quelques propos similaires, le refus du ministre d'« encenser » la « société civile internationale[8] » aura plutôt clarifié les relations avec les principales ONG françaises. Pour couper court à la polémique, le ministre et son cabinet ont préféré s'expliquer. Officiellement, il s'agissait de rappeler que l'affaiblissement du rôle des

---

8. « Hubert Védrine contre la diplomatie des bons sentiments », entretien accordé à l'hebdomadaire *Marianne*, 20 novembre 2000.

États n'était pas nécessairement bénéfique. Sur ce point, les rencontres organisées avec les ONG ont dû les rassurer. C'est en effet une orientation clairement partagée par les ONG française que de ne pas souhaiter la diminution du rôle de l'État : « Bien au contraire, elles rappellent constamment l'urgence pour le politique de reprendre le contrôle de la mondialisation, de jouer son rôle de régulation et de répartition de la justice sociale. Qui, sinon les États, peut garantir ces "biens publics internationaux" que [les ONG] réclament[9] ? » Néanmoins, ce discours sans ambiguïté sur l'importance de l'État s'accompagne d'une position critique sur son fonctionnement. Si l'on ne rechigne pas, le cas échéant, à souhaiter plus d'État, c'est aussi et surtout en réclamant simultanément « un mieux d'État ».

Globalement, les ONG françaises se reconnaissent dans une fonction de contradicteurs constructifs. Les alliances ponctuelles avec l'État ne sont nullement exclues, mais le principe demeure celui de l'autonomie réciproque. À chacun son métier : à l'État d'arbitrer, aux ONG de pousser le plus loin possible leurs revendications. L'idée de développer des passerelles entre les deux mondes est accueillie avec réserve. Les stages de jeunes diplomates dans des ONG sont appréciés, mais le mouvement inverse – à le supposer souhaité par le ministère – ne suscite, pour l'instant, aucun enthousiasme. Les responsables d'ONG se satisfont de leur rôle et plaident contre le mélange des genres : « Nous n'avons pas à nous mettre à la place du Quai d'Orsay[10]. »

L'idéal des relations avec la diplomatie d'État n'est donc nullement fusionnel, ni même trop associatif. Il reste inscrit dans une logique revendicative. Même si les points de vue sont proches, la participation aux délégations officielles n'est pas souhaitée et demeure exceptionnelle. La résistance de l'État et les échecs (comme celui de la coalition française des ONG à contrer les positions officielles à l'égard de l'article 124 du statut de la Cour pénale internationale[11]) ont au moins le

---

9. « Les ONG, acteurs autonomes de la politique étrangère ». Ce texte, non publié, avait été préparé comme réponse à l'article d'Hubert Védrine (cf. supra, note 6) et signé par Philippe Chabasse (co-directeur de Handicap International), Jean Chesneaux (président de Greenpeace France) et Jean-Marie Fardeau (secrétaire général du Comité catholique contre la faim et pour le développement). Je remercie Philippe Chabasse de m'avoir communiqué ce document.

10. R. Ménard, *Ces journalistes que l'on veut faire taire*, Paris, Albin Michel, p. 145.

11. L'article 124 du statut de la Cour pénale internationale a été introduit par la France à la veille de la

mérite de mettre chacun à sa place. Celle des ONG se veut à la fois distincte du marché et de l'État. Elle rejoint le champ d'action d'autres mouvements sociaux qui entendent servir de contre-pouvoir face aux États ; non pas nécessairement dans une relation d'affrontement, mais dans une perspective de contre-proposition et de contrôle. En exigeant de l'État plus de transparence (dans les décisions), plus d'efficacité (dans les coopérations), plus de fidélité (dans les engagements), les ONG font ainsi valoir leur contribution au débat démocratique. De fait, l'identité des ONG françaises et la sympathie qu'elles recueillent auprès du public tiennent largement à cette distance critique à l'égard de l'État, à cette contestation plus ou moins conflictuelle, qui se présente avec toutes les vertus de l'action désintéressée. C'est le point fort des ONG de pouvoir afficher un rôle politique sans éveiller la méfiance qui pèse sur ceux qui « font de la politique ».

Les représentants de l'État soulignent à l'envi qu'ils sont dans une situation plus délicate. La critique et le « tapage médiatique » des ONG leur paraissent des postures plus confortables qu'une fonction d'arbitrage prêtant nécessairement à controverse. Cette appréciation est un peu comme une ligne de défense de la diplomatie d'État : elle permet, à son tour, de mettre les ONG en demeure de se justifier en questionnant leur responsabilité et leur légitimité. La question est sensible. Les ONG y réagissent vivement en invoquant leur légitimité sociale et leur responsabilité politique, et en retournant la question à ses auteurs : quelle serait la responsabilité d'un État qui entreprendrait des politiques « irresponsables » ?

Au-delà des polémiques, le mérite des relations, plus ou moins agitées, entre les ONG et la diplomatie d'État est d'avoir contribué à favoriser le débat public sur des orientations trop souvent considérées comme le « domaine réservé » d'une administration et de quelques responsables

---

conférence de Rome, qui a adopté ledit statut en 1998. Il permet à tout État qui en devient partie de refuser la compétence de la Cour pour les crimes de guerre pendant une période de sept ans à partir de l'entrée en vigueur du statut. Cette disposition « transitoire » vise surtout à mettre à l'abri les militaires contre des poursuites qui seraient considérées comme injustifiées. La campagne de protestation et d'intense lobbying de la coalition des ONG françaises ne parviendra pas à renverser la position officielle ; cf. W. Bourdon et E. Duverger, *La Cour pénale internationale. Le Statut de Rome introduit et commenté*, Paris, Seuil, 2000, pp. 296-300.

politiques. C'est là une tendance sur laquelle il sera difficile de revenir. La démocratie devrait y trouver son compte. La diplomatie française également, même si elle doit parfois se décliner au pluriel.

**Guillaume Devin**

# 3 | Dans la tourmente des conflits locaux

# Tripoli-Beyrouth (1982-1987) : l'ambassadeur dans la crise

Christian Graeff

Les idées que l'on a communément sur la crise ont évolué depuis la fin du second conflit mondial, et plus encore depuis l'implosion de l'URSS et la fin de la guerre froide. La mondialisation et son corollaire, la fragmentation des sociétés, ajoutent à la transformation des *situations de crise*.

Souvent, la crise apparaît comme d'origine interétatique. On parlera alors de *crise diplomatique* ou de *crise internationale* (avec ou sans déploiement guerrier). Mais un autre type de crises n'a cessé de se multiplier et de se diversifier au cours des deux dernières décennies : ces crises-là naissent de la violence que génèrent, précisément contre les États et leurs institutions, des réseaux de type mafieux relevant d'idéologies révolutionnaires ou religieuses intégristes, et couverts par l'opacité de la clandestinité propre au terrorisme. Aussi les diplomates sont-ils convaincus que la crise, dans cette acception universelle et intemporelle, a, si l'on ose dire, de l'avenir. Il devient prioritaire pour eux d'apprendre à maîtriser cette « nouvelle géométrie internationale[1] » qu'est la *gestion des crises*.

---

1. Jacques Lanxade, *Quand le monde a basculé*, Nil, 2001.

Parlant du parcours qui a été le mien en tant que chef de mission diplomatique – durant neuf années, successivement en Libye, au Liban et en Iran –, je suis porté à le décrire comme ayant été avant tout une série de *situations de crise*. Le sentiment que je garde, en particulier de mon engagement dans certaines circonstances critiques en Libye (1982-1985) et au Liban (1985-1987), est que j'ai été exposé à des situations imprévues, marquées par l'irruption de facteurs inattendus, d'ordre politique ou sécuritaire, et que j'ai dû agir dans l'urgence en fonction de menaces dont la gravité était relative et variable. Souvent, la perception du risque qui était la mienne n'a pas correspondu (pas exactement) à celle que pouvaient avoir, à distance, les autorités administratives et politiques dont je relevais. Mais nous avions en commun la conscience d'une brusque montée d'incertitudes et de défis inhabituels, source d'un processus décisionnel plus ou moins décalé par rapport à des orientations générales souvent floues et des directives toujours souples parfois changeantes. D'où la sensation que peut éprouver, de façon lancinante, le chef de poste gérant la crise sur le terrain d'un tiraillement entre des contraintes externes et des servitudes internes.

## Diplomatie de contournement à Tripoli

Lorsque surgit une crise, chacune des tâches diplomatiques traditionnelles est appelée à prendre un sens, un relief singulier en fonction du contexte général et local. La sécurité de nos ressortissants par exemple, qui relève en temps ordinaire de la fonction consulaire, peut devenir en situation de crise un impérieux devoir pour le chef de mission diplomatique, voire prévaloir temporairement sur ses tâches d'ordre politique. Il en fut ainsi pour moi à Tripoli en octobre 1983, alors qu'à l'époque la confrontation franco-libyenne au Tchad atteignait un point critique. De façon inattendue, trente-sept Français du secteur privé se présentant au départ à l'aéroport de Tripoli furent refoulés sans explication ni ménagement par la police des frontières[2]. Convoqué peu après au Bureau populaire des liaisons extérieures (le ministère libyen des Affaires étrangères), je ne tardai pas à être informé que cette rebuffade

---

2. Nombre d'entre eux étaient des techniciens travaillant pour la Libye.

inhabituelle – dans un pays qui s'était illustré toutefois trois ans auparavant par la mise à sac de notre ambassade – avait été décidée « par les
plus hautes instances du pays ». Le commandement libyen nous informait ainsi – c'était un message – qu'il optait pour la rétorsion après
qu'un de ses ressortissants eut été interpellé et mis en état d'arrestation
par la police française[3]. À en croire mon interlocuteur du moment, la
personne arrêtée se trouvait lors de l'interpellation dans un hôtel des
bords de la Seine en compagnie de plusieurs membres de la représentation de la Jamahiriya en France.

Les faits révélés laissaient planer une grande incertitude quant à la
suite des événements. J'avais rendu compte immédiatement au Département de façon factuelle et précise, et mon message avait sûrement
fait l'objet d'une assez large diffusion. Je ne reçus aucun retour. Le lendemain, la presse française allait titrer sur « La colonie française de Libye
prise en otage par Kadhafi ». À tout moment, une décision de justice à
Paris pouvait déclencher l'escalade.

Trois journées de démarches ne furent pas de trop pour parvenir à
desserrer l'étau. Je me souviens que j'ai dû recourir alors à des contacts
non conventionnels pour surmonter la crise. Il m'apparut qu'une ONG
(dont le siège, précision non négligeable, était parisien) pouvait constituer en la personne de son représentant sur place un truchement conve-
nable : il se ferait porteur d'un message humanitaire, là où j'aurais été
exposé à aborder en termes politiques, avec sévérité, l'objet de la crise.
Servi par la chance, le messager obtint rapidement du Protocole l'en-
trevue à très haut niveau désirée. On lui annonça, curieusement, qu'il
rencontrerait l'*épouse* du leader ; mais une fois introduit à Bab Azizya, ce
camp militaire qui tient lieu de palais et où le Guide de la révolution
réside avec sa famille, notre visiteur ne tarda pas à rencontrer le colonel
lui-même. Il apprit de sa bouche que la décision de refoulement de nos
compatriotes « venait d'être rapportée sur son ordre, dans un souci
d'apaisement vis-à-vis de Paris ». Les Français en partance furent embar-
qués sur le premier avion, et la petite colonie française retrouva sa
sérénité.

---

3. Le Libyen en question faisait l'objet d'un mandat d'arrêt international et avait précédemment tran-
sité sans encombre par notre pays. Le fait n'était pas connu de la seule DST, c'était un secret de
Polichinelle.

De cette escarmouche passagère, on peut retenir diverses leçons. J'avais mené cette action à mon initiative, seul et sans directive : comment aurait-il pu en être autrement ? Il m'était loisible d'imaginer quelles différences – dans les positions de principe au départ, l'évaluation des options tactiques, etc. – opposaient à Paris les administrations et services. D'ailleurs, une fois l'incertitude dissipée, le Département jugeait sans intérêt de revenir sur le choix des moyens retenus. Côté libyen, l'essentiel avait été de même préservé : le leader n'avait pas perdu la face, en particulier au regard du « Comité révolutionnaire de l'aéroport », supposé avoir été à l'origine de la mesure hostile. La pratique d'une diplomatie de contournement s'était révélée convenir au lieu et à l'époque. On l'avait compris à Paris ; la chambre d'accusation de la Cour se prononça contre l'extradition de l'ingénieur Saïd Rached, cet assassin présumé d'un opposant politique libyen réfugié en Italie. Il fut élargi quelques jours après, puis expulsé.

## Dans la tourmente libanaise

Le Liban que j'allais retrouver en 1985 était en proie à toutes les horreurs de la guerre, civile et étrangère. Il souffrait, faut-il le rappeler, de quatre occupations : la palestinienne, l'israélienne, la syrienne, et pour finir l'iranienne. C'est cette situation que les médias baptisaient journellement « la crise libanaise ». Représenter la France n'avait là que peu à voir avec le décorum et les nobles tâches que l'on associe couramment à une fonction d'ambassadeur. Aucun doute n'était permis : l'incertitude et la crainte étaient partout – et pour tous.

Trois mois à peine avant mon arrivée avait eu lieu l'enlèvement de trois fonctionnaires de notre ambassade à Beyrouth. Peu après, trois autres civils français avaient été pris à leur tour. Nul ne savait alors que le nombre de nos otages monterait jusqu'à treize, et moins encore que l'un de ces malheureux ne reviendrait jamais.

Le souci de l'urgence, les appréhensions de toute nature étaient tels que pour mon passage éclair à Paris l'administration centrale n'avait pas cru nécessaire d'organiser la traditionnelle réunion d'instruction. Un des conseillers techniques du ministre, à l'humour assez noir, feint toutefois de m'« instruire » en me confiant sur un ton amical : « Surtout, ne te fais pas tuer là-bas, cela gênerait tout le monde. N'oublie pas, quand même, qu'un projectile tiré par lance-roquettes portable dégage 1 500 °C à l'impact du pot d'échappement de ta voiture blindée ! » Le ton était donné : durant les vingt-deux mois que durerait ma mission, je ne connaîtrais guère de répit dans l'évaluation, la définition, la mise en œuvre et le contrôle des consignes de sécurité du poste, tant pour la protection personnelle de son chef que pour l'ensemble des agents diplomatiques présents. J'allais devoir consacrer à cette fonction spécifique, si peu classique, en vérité, plusieurs heures pratiquement chaque jour.

Pour m'y aider, un personnel spécialisé et nombreux était mis à ma disposition : un peloton de gendarmerie de cent personnes, gradés et gendarmes, était réparti entre les quatre ensembles diplomatiques et consulaires bénéficiant de l'exterritorialité. Par ailleurs, pour la protection rapprochée, vingt-neuf policiers et CRS étaient détachés du ministère de l'Intérieur. Après un stage de trois à cinq mois effectué sur place, ils accomplissaient normalement un séjour de deux ans.

L'effort consenti par le Département pour notre ambassade à Beyrouth était considérable, à coup sûr sans équivalent sur l'échiquier des postes, et j'en étais pleinement conscient. Un problème récurrent se posait cependant : dans ce genre de situation, il n'est pas aisé de saisir qui se joue de qui. Nous éprouvions alors en permanence une grande difficulté à définir l'« adversaire », sinon les « adversaires », dans un environnement chauffé à blanc par la dialectique de la violence. Si les Palestiniens, au moindre mauvais coup, étaient les premiers montrés du doigt, chaque camp libanais comptait ses propres boutefeux. Dans les villes, milices sunnites et chiites se battaient implacablement pour la domination de la rue. Les Druzes, inexpugnables dans leur montagne, pilonnaient à loisir les cantons maronites. Face à la nébuleuse islamo-progressiste, les chrétiens n'étaient pas en reste : l'armée comme la présidence de la République étaient en butte à la dissidence des Forces libanaises, elles-mêmes divisées en clans sauvagement opposés par des chefs de guerre inconséquents. Surtout, les rivalités entre les factions étaient sans cesse attisées par des parrains intouchables : Israéliens, Syriens, Iraniens, d'autres encore dont les Irakiens.

Je tentais, à mon niveau, de démêler pourquoi la France se trouvait à ce point engagée dans l'imbroglio libanais, mais aussi comment notre appui et notre assistance pourraient être profitables à un État déliquescent. Je me heurtai d'abord – du côté français, et avant même d'aller voir « en face » – à la dispersion des observateurs, à la multiplicité des décideurs, et à l'entrée en scène d'acteurs plus ou moins « privés[4] ».

Par raison de sécurité, je voulus assurer autant que faire se pouvait l'unité de pensée et d'action au sein de l'équipe de l'ambassade. Il importait que l'image perçue de l'extérieur fût avant tout si possible celle de la sérénité, en tout cas celle de la solidité. Cela m'a conduit plus souvent que je ne l'aurais souhaité à veiller sur le « moral des troupes ». Au calme et à la modération des uns répondait l'attitude passionnelle des autres. Une certaine tendance à se laisser fasciner par les « seigneurs de la guerre » ne m'avait pas échappé. Je cherchai à comprendre ce comportement. La longue histoire qui lie notre pays aux communautés chrétiennes du Levant, son rôle premier dans l'acte de naissance du Liban, bref la « mission de la France » – s'ajoutant à son prestige et à son rayonnement culturels – faisaient-ils que nous ne puissions rester neutres ? Un tel sentiment confinait au manque d'impartialité, il pouvait être colporté à l'extérieur : était-ce sans risque pour l'ambassade ?

## Trafic d'armes à l'ambassade

Je me rappelle avoir fréquemment entretenu de ce problème délicat les responsables des équipes de sécurité. Celles-ci n'avaient pas été toujours bien préparées, au moment de quitter la métropole, à affronter un environnement de pièges et de risques, d'ordre psychologique au moins autant que physique.

J'étais revenu moi-même à Beyrouth sans aucune idée de la tournure mafieuse qu'avait prise la société libanaise. Très vite, de divers côtés, on me mit au parfum de l'essor du commerce des armes[5].

---

4. Avec le recul, je mesure mieux encore aujourd'hui combien pernicieuse aura été, pour l'efficacité de notre diplomatie dans la conduite des tractations officielles et officieuses visant la libération des otages français, une gesticulation désordonnée. Car cohabitation faisant loi, les émissaires les plus divers et inattendus furent dépêchés, mois après mois, auprès d'interlocuteurs plus ou moins identifiés, plus ou moins autoproclamés, mais tous supposés être détenteurs de l'une ou l'autre des fameuses « trois clefs » : la palestinienne, la syrienne, l'iranienne – dont la combinaison réglerait la crise. Il va de soi que ces négociateurs ne venaient pas en Orient les mains vides...

5. De ce trafic, toujours florissant au Liban, j'avais gardé de mes deux séjours antérieurs la mémoire, avec une information particulière sur la relation existant entre réseaux de drogue et commerce des armes dans la plaine de la Bekaa, sous contrôle syrien.

Comment imaginer toutefois l'ampleur prise par ce trafic, et son rôle de soutien au terrorisme moyen-oriental tout entier ? Sans penser à mal, un responsable de la sécurité à l'ambassade venant au rapport évoqua un jour devant moi le fait qu'on trouvait sur le marché « tout ce qu'il fallait ». Il y eut là pour moi comme une révélation, et l'expression d'une perte de repères et de normes. Je m'ouvris auprès de mes plus proches collaborateurs des préoccupations qui étaient les miennes. Ce fut pour apprendre que l'achat d'armes de guerre et de munitions était « banalisé », y compris au sein de l'ambassade, et même parmi le personnel diplomatique et consulaire (les « variations » ne portant que sur le format et le calibre, selon la fantaisie de chacun). Plus inquiétante m'apparut peut-être la tendance à considérer cette pratique comme un simple passe-temps de collectionneur. S'agissant des personnels de sécurité, enquête faite directement auprès d'eux, ils jugeaient en majorité insuffisante et inadaptée la dotation en armement et en munitions du ministère de l'Intérieur : ils ne voyaient dès lors aucune illégitimité à s'affranchir de tout contrôle administratif et financier dans l'exécution de transactions occultes. M'entretenant du même sujet avec les officiers du détachement français chargé de l'observation du cessez-le-feu à Beyrouth (qui avait pris la succession, en mars 1984, de la Force multinationale d'interposition après le retrait américano-anglo-italien), je dus là encore me rendre à l'évidence : l'usage s'était établi qu'une grande partie des panoplies d'armes ainsi constituées soit rapatriée en France, à la faveur de transports militaires, sans que les armes aient été préalablement dénaturées comme le recommandait la sagesse et l'imposait le respect de la loi.

Il ne me restait, en tant que représentant de la République et dépositaire de ses pouvoirs, qu'à prendre position et à le faire savoir. Je rédigeai donc une note « à tous services » rappelant chaque agent, qu'il fût civil ou militaire, à ses devoirs citoyens et faisant référence aux sanctions – y compris pénales – normalement encourues. Un fait divers vint peu après justifier cette rigueur. Début 1986, un contrôle de bagages banal à l'aéroport chypriote de Lárnaka amena la découverte de deux armes de guerre démontées qui avaient été confiées par un sous-officier français de Beyrouth à un passager civil peu averti ou naïf. L'incident allait aboutir très vite à une condamnation ferme prononcée par la juridiction militaire compétente.

Quant à la filière « civile », elle touchait plus directement l'ambassade en raison du soupçon qu'elle ne manquait pas de faire peser sur l'uti-lisation de la valise diplomatique à des fins inavouables. Elle devait de même connaître un épilogue judiciaire. En novembre 1994, devant le tribunal de grande instance de Marseille, comparaissaient trente préve-nus, dont huit policiers et deux gendarmes, anciens de Beyrouth : ce fut le procès dit des « policiers ripoux » ou du « trafic d'armes entre le Liban et la France[6] ». Il fut établi par l'instruction que, si certains lots avaient été revendus à des collectionneurs, de nombreux fusils d'assaut et des lance-roquettes étaient allés à des équipes de truands, appartenant notamment aux milieux corse et toulonnais. Il fallait bien dès lors, comme je n'avais pas hésité à l'écrire, « que la justice passe ». De lourdes peines ont sanctionné, administrativement et pénalement, ces fautes graves.

Ainsi, pour ce qui relevait de l'« interne », l'autorité et la discipline conditionnant la sécurité, la fermeté était nécessaire, et il n'était que temps de la restaurer. Début 1986 la situation générale se caractérisait en effet par la remontée des signaux d'alarme extérieurs : reprise des bombardements à Beyrouth et sur tous les fronts, attentats meurtriers à la voiture piégée, nouveaux enlèvements d'otages étrangers (dont nous étions principalement les victimes), attaques répétées contre des avions de ligne, etc. Dans la partie du Sud-Liban contrôlée par la FINUL, le contingent français devenait la cible privilégiée des terroristes.

## La diplomatie française face à la « coalition des tueurs »

La « coalition des tueurs » voulait-elle démontrer qu'elle était désor-mais en mesure d'attaquer tous azimuts pour dominer le Proche-Orient, et que nul n'était à l'abri ? De fait, aucune sécurité de niveau absolu ne paraissait possible ni même concevable. Durant des mois, j'ai eu sur ce sujet des échanges de vues avec le président libanais et mon collègue américain. Périodiquement nous évoquions les nouvelles menaces, leur

---

6. L'affaire bénéficia – comment s'en étonner ? – d'une large couverture médiatique. Je fus sollicité par l'avocat (célèbre) de l'un de mes anciens « anges gardiens » pour porter témoignage et je crus en conscience ne pas pouvoir me dérober. J'eus toutefois la surprise de retrouver ensuite dans la presse une partie des révélations que j'avais réservées à la justice.

provenance, la capacité de nuisance des différents groupes, ainsi que l'évolution et la transformation de leurs moyens et de leurs méthodes.

À partir du 1er mars 1986, à quinze jours des élections législatives en France, notre ambassade entra dans une zone de turbulences. Une série de coups allaient être assénés, à un rythme et selon un enchaînement inédits, aux principaux symboles de la présence française au Liban. Nous fûmes conduits alors, mes conseillers et moi-même, à tenir parfois nuit après jour des réunions de crise en quasi-permanence.

Alors que nous renforcions la sécurité « physique », ce fut une guerre des ondes qui se déclencha d'abord. Le Djihad islamique fit l'annonce de l'« exécution » de Michel Seurat « en représailles à l'expulsion de deux Irakiens de France ». Même fausse (car l'information devait se révéler manipulée), la nouvelle fit plus de bruit qu'une bombe. Trois jours plus tard, le samedi 8 mars, une équipe de quatre journalistes d'Antenne 2 était enlevée à Beyrouth-Sud, où la communauté chiite célébrait l'Achoura[7]. Nous n'étions cependant pas au bout de nos peines. La campagne électorale aidant, le rythme du ballet des émissaires – les officiels et les officieux, les vrais comme les faux, que Paris dépêchait de-ci de-là à destination des protecteurs réels ou supposés des preneurs d'otages – s'accélérait. Le secrétaire général du Quai, venu prendre des contacts avec les plus hautes autorités politiques à Beyrouth, le déplora comme moi : l'impression dominait d'un formidable désordre. Le 10 mars, nouvelle épreuve : le Djihad faisait circuler dans la presse des photographies du cadavre du chercheur français mort aux mains de ses ravisseurs. Dès lors, le soutien affectif de l'ambassade à Marie Seurat ne suffirait plus à contenir sa douleur, la vague d'émotion médiatique était trop forte[8]. Le mercredi 12 mars, le commandement du DETOBS à la résidence des Pins vivait un autre drame : embusqué dans un immeuble voisin, un sniper abattait froidement un de nos « Casques blancs » au

---

7. À l'ambassade, nous avions de sérieuses raisons – au-delà de l'émotion que nous partagions, cela va sans dire, avec l'opinion française – de nous indigner du traquenard dans lequel venaient de tomber si malencontreusement Rochot et les trois techniciens de la télévision française. Le nombre des représentants des médias français à Beyrouth dépassait alors la cinquantaine. Ils s'entassaient à l'hôtel Métropole, véritable caisse de résonance, d'où ils s'évadaient de temps à autre pour un reportage en ville généralement monnayé. L'ambassade informait hebdomadairement le Département de cette situation, pour la déplorer bien sûr.

8. Jacques Attali, *Verbatim*, t. I, Fayard, 1993.

repos. Il s'agissait là de la septième victime parmi les observateurs français[9].

Dès la mise en place du nouveau gouvernement présidé par Jacques Chirac, je reçus instruction de notifier – tout à fait discrètement – au chef de l'État et au Premier ministre libanais la décision prise de mettre fin à la mission du DETOBS et d'organiser en bon ordre le retrait des observateurs français de Beyrouth. À la faveur de cette double démarche, j'avais mission de rechercher auprès de mes interlocuteurs l'appui de l'armée libanaise pour la couverture des opérations de décrochage. On m'avait enjoint en outre de trouver un arrangement honorable pour la sauvegarde de la résidence des Pins[10].

Du président Gemayel, je reçus un accueil des plus frais. Prenant note sèchement des desiderata du gouvernement français, il me pria d'en discuter les modalités avec le général Aoun en même temps qu'avec le Premier ministre, Karamé. Quant aux commentaires, ils étaient acerbes. La France « protectrice et amie de toujours » lâchait à son tour le Liban officiel. N'aurions-nous pas à le regretter un jour, si des forces hostiles en venaient à se liguer contre nous pour sanctionner cet abandon ?

Auprès du Premier ministre sunnite, je rencontrai de la compréhension et une sympathie agissante. Il entendait faire diligence pour donner satisfaction aux autorités françaises et je fus invité peu après à signer un protocole, rédigé en français et en arabe, qui réaffirmait la propriété de l'État français sur ce lieu emblématique de l'indépendance du « grand Liban » qu'est l'ensemble immobilier des Pins[11]. Quant à la

---

9. La vulnérabilité du détachement des observateurs français, tous volontaires, très courageux, mais aussi très exposés, était hélas connue et reconnue. Ce lâche assassinat, intervenant dans un climat délétère, sema la consternation chez les militaires libanais comme dans nos rangs. Sur instruction du Département, j'avais effectué dès octobre 1985 une démarche auprès du président Gemayel afin de l'informer de la grave préoccupation de notre gouvernement, à la suite de la mort d'un autre Casque blanc, tué par un milicien dans le secteur du djebel Druze. La sensibilisation de l'opinion publique en France aux attentats terroristes nous dictait cette attitude.

10. Depuis 1919 – date à laquelle le général Gouraud fit de l'ancien « casino ottoman » de Beyrouth le siège de la représentation française –, la résidence des Pins n'avait cessé d'abriter le haut-commissaire, puis notre chef de mission diplomatique au Liban. En 1984, il devint le PC des Casques bleus, tandis que l'ambassadeur de France allait chercher refuge à Baabdat, dans un médiocre immeuble de banlieue, hâtivement transformé en camp retranché, à proximité relative de la présidence de la République libanaise.

11. Ce précieux document confirmait en outre, à toutes fins utiles, la qualité diplomatique du bien-fonds.

protection des bâtiments, le gouvernement libanais en acceptait la charge. Une cérémonie très sobre de remise et de passation des consignes fut discrètement organisée sur place entre le détachement français et la gendarmerie libanaise. Il fut convenu que j'y assisterais[12]. Je ne puis oublier ce que nous devons à ce grand Libanais – qui fut assassiné deux mois plus tard d'une façon particulièrement odieuse.

La phase la plus délicate de l'opération d'évacuation devait consister à exfiltrer de Beyrouth-Ouest quelque quatre-vingts observateurs français qui s'y trouvaient encore, répartis sur quatre sites, puis à les regrouper à l'Est en vue de leur embarquement au port de Jounieh. Le groupe le plus exposé était installé au haut de la tour Murr, dont une milice chiite tenait les accès. Au reste, pour chacun des postes, le déplacement groupé, pouvant être aisément repéré, comportait un réel danger d'accrochage. L'état-major à Paris évaluait le risque autour de six à dix pertes.

Nous allâmes, l'attaché militaire et moi, rencontrer le général Michel Aoun de nuit dans son village de montagne. Une fois mis au fait, le chef de l'armée libanaise ne pouvait se résoudre – la chose était claire – à engager des éléments de celle-ci pour assurer un appui à nos militaires. Pour finir, le colonel commandant le détachement et ses officiers, qui disposaient encore de trois VAB[13], optèrent pour une opération surprise avec franchissement en force. Je ne pouvais que leur donner mon accord, en appuyant pour un passage à l'acte accéléré. Le sang-froid, la maîtrise de ces hommes rompus au terrain firent du décrochage puis du regroupement une réussite complète : aucune vie humaine ne fut sacrifiée. Bien plus, le rapatriement du DETOBS put intervenir, grâce à la compréhension de la marine, avant même l'échéance fixée par Paris.

À la lumière de cette expérience, nous nous en tenions plus que jamais à l'ambassade à une stricte observance des consignes de sécurité pour les déplacements. Nous disposions à l'époque de trois voitures blindées, des Peugeot 604 – dont le poids excessif nécessitait un

---

12. Mécontents d'avoir été tenus à l'écart – pour d'évidentes raisons de sécurité –, bon nombre de journalistes français m'en tinrent ultérieurement rigueur. Certains, en petit nombre, eurent même des réactions déplacées. C'est ainsi qu'un grand quotidien de la presse parisienne publia, sous un titre un rien diffamatoire, une photographie tronquée : on y voyait apparaître le seul drapeau libanais surmontant notre bâtiment. Or les trois couleurs n'ont, à aucun moment, cessé de flotter sur la résidence des Pins.

13. Véhicules de l'Avant-Blindé.

entretien constant. L'habitude fut prise de les sortir ensemble, chacune étant munie d'un fanion tricolore, et de rouler en convoi banalisé. Pour ma part, je faisais respecter la bonne vieille sagesse qui veut que soit proscrite toute annonce à l'avance des itinéraires et horaires réels.

Il reste pour moi évident que les deux plus graves accidents qui ont marqué pour nous l'année 1986 – dont une mort tragique – ont sanctionné des manquements à ces principes. Tel fut le cas, sans conteste, lors de la mission parlementaire accomplie au Liban les 19 et 20 mai 1986 par deux députés français. Une visite au Sud-Liban dut être improvisée, à leur demande, dans la zone contrôlée par les forces de la FINUL que dirigeait le général Pons. Malgré mes réticences, l'entremise du chef du parti chiite Amal fut sollicitée au cours de l'audience qu'il accorda à nos parlementaires en vue d'organiser une rencontre avec Daoud Daoud, un représentant de cette communauté au djebel Amal[14]. La grossière imprudence d'une annonce téléphonée faillit nous mener à la catastrophe.

Alors que le programme de la journée se terminait, et que nous quittions le site, particulièrement exposé, où venait d'avoir lieu la rencontre, l'hélicoptère de la FINUL transportant les personnalités françaises fut « rafalé » au décollage. Nous devons au sang-froid exceptionnel du pilote italien d'avoir évité le pire. Cette tentative criminelle, œuvre d'un simple milicien téléguidé de longue main[15], renforça ma détermination à nous protéger sans cesse contre les « ennemis invisibles » de ce type.

L'assassinat du colonel Christian Gouttière, attaché militaire de l'ambassade, qui fut abattu le 18 septembre à 8 h 30 à quelques pas de l'entrée de la chancellerie de Mar-Takla, demeure le souvenir le plus noir de cette période à haut risque. Tout ce que le Liban compte d'institutions officielles et de personnalités amies eut à cœur ce jour-là de franchir l'enceinte, peu prestigieuse et hérissée de défenses, de notre ambassade de repli : c'était pour exprimer, par-delà une sympathie naturelle pour la famille de la victime, des sentiments de fidélité à la France et d'attachement aux liens de langue et de culture qui nous unissent. Le président Gemayel assista en personne à la levée du corps, aux côtés du secrétaire général du Quai d'Orsay. Deux semaines plus tard, un

---

14. Vis-à-vis de ce personnage cauteleux, que d'aucuns ont baptisé « David David », il existait des raisons de nourrir quelque défiance.

15. L'enquête immédiatement engagée par la FINUL ne permit pas de conclure avec certitude sur les commanditaires. Une conjonction Hezbollah-Syrie ne fut pas exclue.

télégramme codé – « pour l'ambassadeur seul » – me convoquait à Paris avec consigne de me présenter « directement à l'Élysée ». J'eus alors mon premier tête-à-tête avec le président François Mitterrand[16].

## Rencontre avec François Mitterrand

Le président me dit d'entrée qu'il avait « lu tout ce qui s'était écrit dans la République sur la mort du colonel Gouttière » ; cependant il cherchait encore une explication au fait qu'on avait à nouveau frappé la France au Proche-Orient. Il ne comprenait pas pourquoi « ceux qui ne connaissent que la mort et le sang » tuaient sur le sol français dans le même temps où ils s'en prenaient à ses représentants à l'extérieur. Que le Liban meurtri eût été, une fois de plus, le théâtre du drame le choquait profondément.

Je n'avais pas le loisir de longs développements ; aussi bien quelles démonstrations restaient-elles à faire pour l'éclairer davantage ? J'avançai prudemment cette interprétation : les coups implacables dirigés contre nous étaient à prendre aussi dans leur charge symbolique, ils étaient comme la preuve que nous exercions toujours un rôle et qu'on nous prêtait encore une influence au Liban et alentour. Rien ne serait plus politiquement dangereux, dès lors, que donner à penser que nous puissions baisser la garde.

Le président n'avait pas haussé les épaules. Il fit mine d'entrer dans mon jeu : « Donc, vous êtes bien le Français le plus menacé ! On m'adresse d'ailleurs des notes recommandant votre retrait, pour votre sécurité. La République ne peut, si j'ose dire, s'offrir le luxe d'avoir un deuxième ambassadeur assassiné au Liban. »

J'étais tenté d'objecter : je n'ignorais pas qu'à Beyrouth aussi plus d'un aurait souhaité me voir ailleurs[17], et les « notes blanches » pouvaient refléter en partie ce point de vue. Cependant je resterai prudent. S'il appartenait bien sûr au président de décider de mon maintien ou non

---

16. Le secrétariat général de la présidence m'avait averti antérieurement : le recours éventuel à une telle procédure, inhabituelle encore que respectueuse de la répartition des pouvoirs constitutionnels, pourrait avoir lieu en cas d'événement ou de crise graves.

17. À commencer par le nouveau représentant des États-Unis – John Kelly avait succédé à Andrew Bartholomew ; c'était une autre Amérique, distante et peu coopérative.

au Liban, je croyais devoir l'assurer qu'à l'ambassade les moyens de la sécurité et l'emploi qui en était fait étaient sans faille. Une mission des inspecteurs du Quai d'Orsay avait pu le vérifier récemment. Certes, la routine et l'accoutumance étaient aussi des facteurs de danger, elles avaient pu un temps fragiliser notre dispositif. Mais le retrait des observateurs français de Beyrouth, qui nous avait valu en milieu chrétien de vives critiques, avait également encouragé ceux qui souhaitaient notre effacement à frapper plus fort. Depuis, mes collaborateurs et moi avions multiplié les contacts dans les différentes communautés, sans exclusive, pour entendre le point de vue de tous les interlocuteurs, encourager leur entente, prêcher la réconciliation. Ne serait-il pas opportun de relancer maintenant l'invitation au président Gemayel d'effectuer une visite en France ? Celui-ci m'avait dit à plusieurs reprises avoir gardé ce projet en mémoire, mais la situation politique lui avait imposé de ne pas s'éloigner du Liban. Ne pourrait-il avoir demain, dans une phase d'accalmie, une attitude plus ouverte ? Je m'attirai cette réponse : « L'affaire vaut qu'on y réfléchisse sérieusement. Voyez Gemayel, puis nous en reparlerons. Il reste convenu, en attendant, que vous quitterez le Liban d'ici à la fin de l'année. »

Je n'aurais pu imaginer, repartant rapidement pour Beyrouth, que je reprendrais cette conversation quelques semaines plus tard. Ce fut à l'occasion de l'audience accordée par le président à Sa Béatitude Nasrallah Sfeir, nouvellement élu par le synode maronite à la tête du patriarcat de Bkerké. Ayant été rappelé à Paris pour la circonstance, j'ai pu bénéficier ensuite d'un entretien particulier. Le président eut la primeur de l'assentiment que le chef de l'État libanais venait de me donner pour sa venue en France début 1987. Il me chargea d'en suivre les préparatifs, de m'efforcer de déceler ce qu'Amine Gemayel attendait de cette visite, et de le sonder sur le crédit qu'il accordait à l'ex-puissance mandataire, qui avait fait beaucoup, et faisait beaucoup encore, notamment par sa forte participation à la FINUL, pour protéger le pays ami de ses envahissants voisins. La visite en France du président Gemayel eut lieu du 17 au 19 février 1987. Je fus invité à venir à Paris pour participer aux entretiens officiels[18]. Mon épouse, qui était restée à mes côtés durant tout le séjour, fut également conviée à Paris pour accompagner madame Gemayel.

---

18. Cette visite a permis, je pense, aux autorités françaises de mieux apprécier les efforts faits par le

Ayant ainsi joué pendant près de deux ans à Beyrouth le rôle du capitaine de l'équipe sur un terrain glissant dans une ambiance houleuse, j'ai quitté mon poste – en hélicoptère militaire – le 14 mars 1987, sans joie mais satisfait. Partageant les tensions et les épreuves avec des équipiers dans leur ensemble insoucieux de confort et de facilité, je m'étais efforcé, en toute situation, d'agir en sorte que notre ambassade fasse mieux que subir les événements. Le vécu de *crises à répétition* n'avait heureusement pas entamé ma motivation, ni ma détermination des débuts. Certes nous n'avions pas (pas plus que d'autres d'ailleurs) trouvé la parade adéquate vis-à-vis du terrorisme preneur d'otages. Nous avions quand même évité de nous laisser paralyser ou fléchir face à l'imprévisible. Peut-être nos compatriotes vivant au Liban n'attendaient-ils d'ailleurs guère beaucoup plus de notre part. Quant à nos amis libanais de toutes confessions, au milieu des difficultés inouïes qui étaient les leurs, ils avaient sûrement apprécié que nous nous soyons employés contre vents et marées à maintenir notre importante contribution au développement, à l'éducation et à la culture.

## La dictature de l'urgence

Au cours de ces périodes riches en émotions, lourdes de responsabilités, l'acquis le plus déterminant pour moi fut la révélation qu'une grande liberté bénéficie au diplomate chef de poste dès lors qu'il est appelé à gérer ces facteurs d'incertitude, générateurs d'hésitation et de doute, qui sont la caractéristique d'une situation de crise.

À la limite, l'ambassadeur peut être amené à négliger pour un temps, néanmoins assez court, le principe de hiérarchie et les pesanteurs administratives dans son action de terrain. La raison de ce statut paradoxal réside, me semble-t-il, dans la réalité d'un crédit, ou, pour mieux dire, du *pacte de confiance* que rend implicite au départ la sélection-cooptation opérée pour la désignation des agents appelés aux postes dits sensibles ou à risque.

---

président libanais pour préserver la façade constitutionnelle de l'État, en dépit du repli confessionnel et de la violence milicienne. Pour sa part, le chef de l'État libanais aura été dûment informé par la partie française de sa détermination à alimenter le dialogue en faveur de la trêve et à assurer une certaine stabilité à la zone, dans le respect de la souveraineté libanaise.

Cela étant, il m'a aussi été donné de vérifier que la souplesse accordée ne l'est pas à n'importe quel prix. Les inflexions constatées dans l'usage relatif fait en situation de crise de ces règles de comportement qui tiennent lieu de déontologie dans la profession montrent que la distinction – ancienne – entre « ce qui se fait » et « ce qui ne se fait pas » continue bel et bien d'exister, et qu'il serait vain pour un diplomate de prétendre s'en affranchir. Tels sont, pour l'« interne », les fruits de l'expérience.

Pour ce qui est de l'aspect « externe » de la gestion de crise, il convient sans doute de s'en tenir ici, revenant sur l'illustration contrastée de situations concrètes, à quelques remarques d'ordre général. La gestion à chaud d'une crise est dominée par l'urgence. Elle laisse peu de place à l'analyse et à la réflexion approfondie sur le milieu et l'environnement ; elle se développe plutôt dans le pragmatique et le décisionnel. Vue sous cet angle, elle serait assez en contradiction, et à contretemps, par rapport au travail diplomatique classique. À chacun d'apprécier l'inconvénient ou l'avantage.

Si les situations de crise ont toujours présenté à mes yeux un évident attrait, modestement iconoclaste, c'est que la présence des diplomates dans le traitement des crises (et il en va de même des militaires notamment) répond clairement à une priorité de l'époque. Car ce que l'on nomme crise donne l'exacte mesure des difficultés complexes que traverse le monde d'aujourd'hui, marqué par les multiples tensions et conflits qui l'animent, et qui relèvent avant tout du travail politique.

Cette « modernité » de la crise aide par ailleurs à renouveler notre regard sur l'évolution des sociétés contemporaines. La violence et la destruction y ont dorénavant une part dominante, qu'explique sûrement le trop fameux « équilibre de la terreur », dont le terrorisme international – ses réseaux opérationnels et financiers, et le réseau de ses réseaux – pourrait n'être que l'autre face. Dès lors, l'obsession sécuritaire s'inscrit dans la logique des choses, et il en va à cet égard des professionnels comme de l'opinion publique.

Devenue objet d'étude pluridisciplinaire, la gestion de crise a donc, comme il a été dit, de l'avenir devant elle.

**Christian Graeff**

# Balkans (1991-1995) :
# une amère expérience

Georges-Marie Chenu

Diplomate, j'ai servi dans plusieurs pays en crise : Nigeria, Haïti, Argentine et Togo. Lointaines et circonscrites, ces crises ne mobilisèrent guère les autorités françaises. Aussi, lorsqu'en juillet 1991 je fus nommé responsable des observateurs français au sein de la Mission européenne de contrôle en Yougoslavie, je pensai qu'il en irait tout autrement[1]. J'imaginai que les responsables de mon pays suivraient cette crise, intense et proche, avec une vigilance soutenue ; qu'ils déploieraient toutes leurs énergies pour que des solutions ne soient pas imposées par les armes et qu'ils rivaliseraient avec les autres membres de la Communauté européenne pour faire avancer la solidarité et l'intégration continentales. Ce fut tout le contraire !

Pendant les cinq années où j'exerçai des fonctions officielles dans la région[2], je découvris peu à peu que mon pays, l'un des plus engagés sur le terrain et dans les négociations, suivait une politique hésitante et

---

1. Sous l'impulsion de la CEE est signée sur l'île de Brioni, le 8 juillet 1991, une déclaration commune sur la crise yougoslave. Sont adoptés par Belgrade, Zagreb et Ljubljana les principes d'un règlement pacifique et négocié de la crise ainsi que l'envoi d'une mission européenne d'observateurs pour contrôler le cessez-le-feu et la situation en Slovénie et, si possible, en Croatie.
2. Responsable des observateurs français au sein de la Mission européenne de juillet à fin décembre

molle, en décalage constant et croissant avec les événements et, surtout, en flagrante contradiction avec nos grands principes éthiques et nos ambitions européennes et internationales.

Au cours des trois guerres dont je fus le témoin, les autorités françaises s'accommodèrent aisément des souffrances extrêmes qui furent infligées à des populations européennes. En outre, elles acceptèrent que leurs ressortissants envoyés sur le terrain en mission de paix (observateurs, Casques bleus et humanitaires) soient exposés, comme leurs homologues étrangers, à de très grands risques, sans exiger que les Nations unies leur accordent une protection sérieuse. En bref, la France se comporta en partenaire européen timoré et cynique et en « mauvaise Mère ».

## Des informations inutiles

Peu après l'installation de la Mission européenne à Zagreb, début juillet 1991, il apparut que les affrontements en Croatie puis, à partir de l'automne, en Bosnie-Herzégovine, n'étaient pas dus à des haines ethniques ancestrales. Ces opérations militaires étaient commandées de Belgrade, capitale de la Fédération et de la république de Serbie, où régnait Slobodan Milosevic. Elles tendaient à regrouper sous une seule autorité la majeure partie des territoires croates et bosniaques habités par des communautés serbes, majoritaires ou non[3].

La preuve flagrante de cette volonté de conquête fut recueillie par des observateurs qui contrôlaient les convois de l'armée fédérale quittant la Slovénie et transitant par la Croatie. Le 13 août, ils visitèrent l'agglomération de Novska sur l'autoroute Zagreb-Belgrade, non loin de la capitale. Le matin, une radio de Belgrade avait annoncé que la circonscription s'était ralliée à l'« administration autonome serbe de Slavonie ». Le maire démentit cette information et nous décrivit l'encerclement

---

1992 ; ambassadeur de France à Zagreb de juin 1992 à fin 1994, et représentant de la présidence française auprès de l'administrateur européen à Mostar de janvier à juillet 1995. Observateur de l'OSCE pour les élections générales en Bosnie-Herzégovine en été 1998 (trois mois).

3. Après s'être déclarées autonomes à l'automne de 1990, les Krajina croates (régions confinaires de la Banja, du Kordun, de la Lika et des environs de Knin) s'étaient séparées unilatéralement de la Croatie le 28 février 1991.

progressif de sa ville, les menaces, les départs de certains Serbes et l'armement des autres. L'assaut étant imminent, il nous demanda de transmettre à l'Europe un appel au secours. En quittant Novska, nous vîmes des militaires fédéraux qui prenaient position autour de la ville avec des canons et des engins blindés.

Ensuite, les preuves s'accumulèrent : expulsions des Croates de plusieurs villes (Ilok, Slunj) ; entrées de forces monténégrines en Herzégovine et en Dalmatie ; mise des Krajina sous contrôle militaire de Belgrade ; bombardements de Dubrovnik et des environs ; attaques contre Vukovar, Osijek et Vinkovci, en Slavonie, dont le sous-sol recèle du pétrole ; et, sur les routes avoisinantes, de longues files de civils croates chassés par des Serbes armés, militaires, paramilitaires ou civils.

Ces informations furent transmises par la Mission à la présidence à Bruxelles, et par moi-même au Département *via* notre consulat général à Zagreb[4]. Jamais on ne me demanda des confirmations ou des précisions. Pourtant, au début, Paris était indécis sur la nature des événements et leur évolution. L'armée fédérale constituait alors le principal sujet de préoccupation. La prise en considération de nos messages et l'envoi de spécialistes sur les lieux auraient mis en lumière le projet de « Grande Serbie » et révélé la valeur réelle de l'Armée populaire yougoslave (APY). Celle-ci avait des moyens considérables (unités, encadrement, armement, matériel), mais aussi de sérieux handicaps : certains, politiques (serbisation croissante, désertions des appelés), d'autres, psychologiques (médiocre combativité, crainte des attentats, redditions fréquentes), et, enfin, professionnels (compacité des unités, absence de mobilité, formation insuffisante)[5].

Dès l'arrivée, début 1992, des bataillons de l'ONU en Croatie, aux rapports de la Mission s'ajoutèrent ceux de la FORPRONU. Le secrétaire général des Nations unies, Boutros Boutros-Ghali, et les capitales occidentales furent informés des attaques contre les civils non serbes en Bosnie, des opérations défensives bosniaques et bosno-croates, des épisodes du siège de Sarajevo et, à partir de 1993, des affrontements entre Bosniaques et Bosno-Croates à Mostar et dans le centre de la

---

4. Les destinataires étaient le MAE, l'Élysée, Matignon, la Défense ainsi que les postes diplomatiques concernés, dont nos représentations auprès de l'ONU et de la CE (UE).

5. Le 29 septembre 1991, la garnison fédérale de Bjelovar abandonna sur place plus de 80 blindés et d'importants stocks de munitions.

Bosnie-Herzégovine, ainsi que des harcèlements par les unités serbes des « zones protégées par les Nations unies ». Les médias internationaux couvraient ces événements.

Toutes les constatations convergeaient. Au début, il y eut bien un « agresseur » et des « agressés ». Ce furent les Serbes et les Monténégrins qui attaquèrent, en détournant à leur profit des institutions fédérales : l'APY, les médias, les fonds publics[6]. Les « agressés », ce furent les Slovènes, les Croates et les Bosniaques, dont les responsables improvisèrent des groupes de défense alors qu'un embargo international leur interdisait de se procurer des armes à l'étranger et que l'APY utilisait l'armement fédéral. Malgré ce déséquilibre dans les responsabilités et les moyens, la France et l'UE traitèrent de la même façon les assaillants et les défenseurs lors des cessez-le-feu et des pourparlers à Londres, Genève et New York. Véritable déni de vérité consenti au nom d'une conception abstraite et aveugle de l'impartialité mais qui n'assura aux intervenants internationaux ni l'autorité ni la sécurité, ni la liberté d'action qu'ils recherchaient. Bien au contraire !

## Absence d'ambition collective

Les guerres dans l'ex-Yougoslavie furent d'une extrême cruauté. Toutes les conventions internationales furent bafouées. Les principales victimes furent les civils ainsi que les lieux de vie (maisons et villages) et les symboles culturels (édifices cultuels et bâtiments historiques)[7]. Parmi les infractions à « la protection des personnes civiles dans les conflits militaires » perpétrées de juin 1991 à décembre 1995, je ne retiendrai que deux cas extrêmes : celui de l'hôpital de Vukovar, pris pour cible par les artilleurs de l'APY, ainsi que le constata, dès le 28 août 1991, l'ambassadeur Wynaendts, l'envoyé de la présidence néerlandaise, et que l'expérimenta un convoi de Médecins sans frontières entré dans la ville assiégée le 19 octobre 1991. Et l'existence de « camps de concentration » pour les non-Serbes, révélée par le président Alija Izetbegovic

---

6. Le 15 juillet 1991, le consul général à Zagreb avertissait Paris « d'infiltrations de commandos serbes en Slovénie [...] soutenus par l'armée fédérale [...] et de l'arrivée des blindés en renfort [...] ».

7. Plus de 85 % des 210 à 230 000 tués du fait des guerres de 1991 à décembre 1995 furent des civils.

au président François Mitterrand, en voyage surprise[8] à Sarajevo le 28 juin 1992.

Dès lors, on réalisa l'ampleur du nettoyage ethnique et des violences faites aux femmes en Croatie et en Bosnie-Herzégovine (Brcko, Bijelina, Foça, Visegrad, Banja Luka et ses environs...).

Non-respect des lois de la guerre, mais aussi d'accords spécifiques. Ainsi en fut-il des dispositions des accords de Brioni (8 juillet 1991) sur la liberté d'action des observateurs européens ; ils furent menacés, agressés et leurs hélicoptères pris pour cible. L'engagement signé à Zagreb, le 18 novembre 1991, de remettre au CICR l'hôpital de Vukovar et tous les malades fut rejeté par les officiers serbes qui prirent la ville ; deux cent trente personnes furent assassinées et jetées dans une fosse commune. Cinq jours après le cessez-le-feu signé à Sarajevo, le 2 janvier 1992, en présence de Cyrus Vance, représentant les Nations unies, deux hélicoptères de la Mission furent attaqués, au nord de Zagreb, par des chasseurs fédéraux ; l'un des hélicoptères s'écrasa au sol et cinq observateurs furent tués[9]. Plus tard, autour de Sarajevo, les nombreux arrangements sur les arrêts des tirs, les retraits des armes lourdes et le passage de l'aide humanitaire ne furent jamais pleinement respectés par les assaillants.

De même des résolutions du Conseil de sécurité. Trois des dispositions essentielles du plan Vance ne furent pas appliquées par les sécessionnistes serbes : désarmement des milices, liberté de déplacement et retour de déplacés. Édictée en octobre 1992, par la résolution 78, l'interdiction de survol de la Bosnie-Herzégovine fut violée plus de cinq cents fois en six mois par des appareils serbes. Deux exemples parmi la longue liste des violations.

Devant le déchaînement de la guerre, la France manifesta un semblant de fermeté. En septembre 1991, elle proposa une action militaire, mais menée par l'UEO, institution en survie boudée par nos partenaires. Elle s'accommoda de leur refus et se tourna ensuite vers une opération de paix conduite par l'ONU. Et, pendant plus de trois ans, pour ne pas « ajouter la guerre à la guerre », elle privilégia la négociation, l'action

---

8. Voir à ce sujet l'ouvrage de Mathieu Braunstein, *François Mitterrand à Sarajevo, 28 juin 1992, le rendez-vous manqué*, L'Harmattan, janvier 2001. Dans la postface, j'ai rapporté *in extenso* les entretiens consacrés aux « camps » (pages 181 à 186).

9. Quatre militaires italiens et un officier français, le lieutenant Jean-Loup Eychenne.

humanitaire et la cantonisation (euphémisme pour le partage). Paris a géré une « crise » alors qu'il s'agissait d'une guerre. Politique cauteleuse, qui convenait aussi à nos partenaires, mais qui ne pouvait, en aucun cas, mettre fin aux violences et au dépeçage territorial. Choix en harmonie avec notre préférence pour la Serbie, un pays qui n'était pourtant plus celui de la Première Guerre mondiale ni celui de la lutte contre le fascisme et le nazisme, au cours de la Seconde[10]. Entre les mains d'un dirigeant opportuniste, amoral et retors, la Serbie était devenue un « pays bandit », dont l'armée n'était plus digne de confiance[11].

Jusqu'en 1995, la France cessa de chercher à mobiliser ses partenaires européens en faveur d'une autre politique qui aurait protégé les populations et découragé l'emploi de la force. Elle accepta que Sarajevo soit assiégée pendant plus de trois années. Elle ne trouva pas scandaleux que les soldats de la paix ne soient pas protégés face à de véritables tueurs. J'ai en mémoire les assassinats de deux officiers français, le 18 juin 1992, à l'aéroport de Zemunik dans la Krajina, et ceux de plusieurs Casques bleus par des snipers à Sarajevo[12]. Au début 1994, Paris ne soutint pas le général Jean Cot, démis du commandement de la FORPRONU par le secrétaire général de l'ONU car il avait publiquement dénoncé les humiliations infligées à ses hommes et demandé pour eux une véritable protection militaire et suggéré des actions préventives à Tuzla et à Srebrenica.

Aux échelons les plus élevés, à Paris, on n'a pas voulu comprendre que la quasi-impunité dont bénéficiaient les responsables serbes finirait par pousser les autres parties à recourir, à leur tour, à la force pour se protéger, et aussi pour réaliser leurs propres objectifs. Déjà, en Croatie, des massacres avaient été commis à Gospic (septembre 1991) par des soldats croates improvisés puis, plus tard, en Bosnie-Herzégovine, à Mostar et dans la vallée de la Laslava ; d'autres atrocités furent perpétrées par des défenseurs bosniaques (les groupes de Naser Oric) autour de

---

10. Cette lutte contre les occupants fut menée par de nombreux Yougoslaves, Slovènes, Croates, Bosniaques, Serbes, etc. ; fin 1943 sur 300 000 partisans, environ un tiers étaient croates.

11. Le dossier à charge de l'APY, armée devenue serbe à partir de 1991, est accablant : non-respect de sa mission institutionnelle de défense de tous les citoyens yougoslaves ; association avec des paramilitaires qui étaient des tueurs ; participation à des opérations de nettoyage ethnique et à des pillages ; destructions d'ouvrages d'art ; atteintes à l'immunité d'agents de l'ONU en mission de paix.

12. Un observateur et soixante-seize Casques bleus français furent tués en ex-Yougoslavie.

Sarajevo, de Srebrenica et de Bratunac. Notre passivité a permis ces tueries.

Le massacre, autour de Srebrenica, de sept à huit mille Bosniaques (juillet 1995) fut une épouvantable préfiguration des désastres auxquels conduisait cet attentisme. Car, contrairement à nos vues – celles de l'Élysée, du Quai d'Orsay et de l'état-major général –, ce fut bien le recours à la force qui, en cet été 1995, fit taire les armes. Pour cela, il fallut, après la prise en otages de nombreux Casques bleus, la reconquête musclée d'une position française[13], la création de la Force d'intervention rapide (juin 1995), les salves de canons 155 français, les bombardements des avions de l'OTAN et les offensives croates et bosniaques. Belgrade céda et imposa aux Bosno-Serbes les accords de Dayton-Paris (décembre 1995). Entre-temps, la France avait fait le choix d'un autre président de la République.

Pendant cette longue période, de 1992 à 1995, aucun pays de l'UE n'a voulu aller à contre-courant de ce « diplomatiquement correct » et demander une intervention collective fondée sur les droits de l'homme et la solidarité européenne. La France aurait dû remplir ce rôle, elle qui prétend avoir une vocation particulière en matière de droits de l'homme et qui plaide en faveur de l'autonomie de l'Union dans les domaines des relations extérieures et de la défense. Consternante politique, coupée des réalités et qui, dans une Europe ambitionnant de constituer une communauté nouvelle, forte et imaginative, n'offrait à des populations en attente aucune autre perspective d'avenir que celle de revivre, avec quelques variantes, d'autres épisodes de la sanglante saga des Balkans.

## Une insuffisante concertation professionnelle

Cette nouvelle crise dans les Balkans était exceptionnelle par son ampleur, sa complexité et ses enjeux. Toutefois, durant ces cinq années, je n'ai pas eu le sentiment de faire partie d'une équipe diplomatique nationale chargée par ses autorités de suivre les événements et de rechercher des solutions. De fait, les échanges avec Paris sur les problèmes

---

13. Le 27 mai 1995, à Vrbanja, au cœur de Sarajevo.

de fond furent très limités. Des informations importantes ne me furent pas transmises, comme les comptes rendus des différents entretiens du président François Mitterrand avec les présidents Franjo Tudjman, Alija Izetbegovic et Slobodan Milosevic. Le plus souvent, j'ignorais les positions défendues par la France dans les différentes conférences et rencontres internationales sur l'ex-Yougoslavie. Je connaissais mal nos évaluations des plans de paix pour la Bosnie-Herzégovine ainsi que nos vues sur les ZPNU (zones croates protégées par les Nations unies).

De même que les observations de la Mission européenne n'avaient pas été prises en compte, celles que j'envoyai ensuite de Zagreb, à partir de 1992, sur l'insuffisante efficacité de la FORPRONU et l'impatience grandissante des Croates ne furent pas écoutées, ainsi que mes remarques ultérieures sur la fragilité de la situation à Mostar, en 1995.

De 1992 à fin 1994, j'ai accueilli en Croatie un Premier ministre et huit ministres ; j'ai reçu de nombreuses personnalités françaises civiles et militaires, dont des parlementaires et le chef d'état-major général des armées. À tous, j'ai demandé des explications sur notre politique, son bien-fondé et ses développements, et je n'ai reçu que des réponses vagues ou partielles. Chaque fois, je soulignais la nécessité d'assurer l'autorité de la communauté internationale et de renforcer la protection des Casques bleus. Sur ces deux points, je fis part de mes craintes à l'Élysée et au Département, lors d'un passage à Paris, fin septembre 1992, et proposai une réunion de travail. Sans succès. Peu après le changement de majorité parlementaire, en mars 1993, je fus reçu par Alain Juppé, mon nouveau ministre. L'audience devait durer un quart d'heure ; elle fut écourtée par une convocation à l'Élysée. Le directeur de cabinet me conseilla de rédiger une note. Par écrit, j'expliquai que l'ONU, pour être respectée, devait notamment « disposer de bataillons avec un armement au moins égal et même supérieur à ceux des belligérants ». Je ne reçus aucune réponse.

La tradition veut que le responsable d'une mission diplomatique rédige un rapport en quittant son poste. J'en ai rédigé trois. Aucun d'entre eux n'a donné lieu à une séance collective d'évaluation. Pourtant, dans celui de novembre 1994, je tirais des leçons de mon expérience de premier ambassadeur de France à Zagreb. Je contestais, avec vigueur, les affirmations qui avaient encore cours au ministère des Affaires étrangères sur les haines ancestrales, les frontières arbitraires de la Croatie et de la Bosnie-Herzégovine et les reconnaissances prématurées des nouvelles républiques.

Mes collègues des pays de l'UE représentés à Zagreb – Allemagne, Italie, Grande-Bretagne, Espagne, Belgique – n'étaient guère mieux traités que moi par leurs autorités respectives, à l'exception de l'ambassadeur allemand, qui recevait des visiteurs officiels et effectuait des démarches.

En revanche, face à la discrétion collective de l'UE, la visibilité des États-Unis en Croatie était éclatante. Peter W. Galbraith, l'ambassadeur américain, était omniprésent dans les médias et sur le terrain, y compris dans les ZPNU. Sa visite à Vukovar fut retentissante. Ses déclarations publiques – encouragements, conseils ou critiques – étaient écoutées. Il était associé aux pourparlers sur les zones occupées. Son dynamisme, son assurance et sa liberté de ton, stupéfiante pour une population habituée à la langue de bois, convainquirent rapidement les responsables et le public croates que c'était des États-Unis que viendraient les grandes initiatives.

## Des suggestions pour les crises

Fort de mon expérience et d'un certain recul, je me permets d'avancer quelques propositions pour accroître l'efficacité d'une intervention extérieure.

1) La première initiative serait de créer, dans la mouvance du Quai et à côté de la « cellule de crise », un « groupe d'information et de réflexion » à composition très ouverte. Seraient consultés ceux qui ont une connaissance confirmée du pays concerné : historiens, linguistes, chercheurs, hommes d'affaires, religieux, reporters, humanitaires... et les réflexions du groupe devraient être diffusées dans les ministères et certaines institutions (Parlement, Défense, Intérieur, Économie, instituts de recherche...). La crise yougoslave a révélé l'ampleur de notre ignorance sur les Balkans modernes[14].

---

14. Il serait intéressant de savoir combien de nos compatriotes, diplomates ou spécialistes des Balkans, connaissaient, début 1991, le « Mémorandum de l'Académie des arts et des sciences » de Belgrade et étaient conscients de la force du sentiment grand-serbe en Serbie.

2) Dans un pays ou une région en crise, il est indispensable que tous les agents présents sur le terrain, diplomates, militaires et humanitaires, échangent régulièrement leurs informations et leurs expériences. À Zagreb, on avait mis en place, de 1992 à fin 1994, une formule empirique. Tous les deux mois, les commandants des unités et les membres des états-majors se retrouvaient à la résidence. En utilisant la correspondance diplomatique, je présentais un tableau de la situation générale, des décisions internationales et des négociations en cours. Je m'efforçais aussi, mais c'était la tâche la plus difficile, de préciser notre position. L'attaché de défense traitait des aspects militaires (opérations et forces en présence) et l'attaché humanitaire des problèmes des réfugiés et des aides. À leur tour, les officiers exposaient les difficultés rencontrées par leurs unités et la complexité des chaînes de commandement. C'est ainsi que, le 21 octobre 1992, participèrent à la douzième « réunion mixte d'information » près de vingt officiers, dont un officier général servant dans les états-majors (FORPRONU et contingent français), ou dans des unités engagées en Croatie (Zagreb, Glina, Topusko, Split) et en Bosnie-Herzégovine (Sarajevo, Bihac, Kakanj).

3) Une crise est aggravée par le manque d'informations fiables. Une solution serait d'envoyer dans le « trou noir » un agent disposant de moyens de communication autonomes afin d'informer Paris en temps réel. En 1993, la présence à Mostar ou dans les environs d'un « agent enquêteur » détaché de notre ambassade à Sarajevo aurait permis de mieux suivre les affrontements entre Bosno-Croates et Bosniaques de part et d'autre de la Neretva. On aurait pu adresser des mises en garde pertinentes aux responsables. Se porter aux avant-postes est à la limite de ce que le Département peut demander à un agent. Mais il est des situations dans lesquelles l'information prime et justifie des risques. On veut espérer que des diplomates accepteraient de les prendre : les agents, toutefois, seraient d'autant plus encouragés à le faire qu'ils seraient assurés que les données ainsi recueillies seraient bien utilisées.

4) Sur le terrain, diplomates et militaires sont complémentaires. L'exécution des missions de paix, qui sont à la fois civiles et militaires, passe par des négociations fréquentes avec des responsables locaux. À la longue, les relations de proximité qui s'établissent finissent par rendre difficile la reprise par le « soldat-négociateur » de la posture du guerrier, si les tensions s'aggravent. Un découplage est donc nécessaire ; au militaire, la détention du feu, et au diplomate ou à l'agent international,

les négociations. Les belligérants ne doivent en aucun cas douter de la menace militaire.

Début 1999, le général de Saqui de Sannes était chargé, au Kosovo, du secteur de Mitrovica, en pleine ébullition. Pour contenir des civils serbes menaçants, il disposait d'une brigade comportant huit nationalités et des renforts venant de onze pays. Avec un tel agrégat militaire, peu opérationnel, le maintien de l'ordre était problématique et il aurait souhaité être déchargé du dialogue avec les habitants en colère. « Il me manquait, explique-t-il, une structure dirigée par un diplomate[15]. »

5) Reste le problème crucial de l'information des parlementaires. Durant toute la crise yougoslave, les deux Chambres firent preuve d'une grande passivité. Elles laissèrent l'exécutif conduire une politique contestable tandis que des militaires français étaient exposés. Elles ne sont pourtant pas tenues à l'écart des informations d'État. Le président de la commission des affaires étrangères de l'Assemblée nationale est destinataire de la correspondance diplomatique : il est à même d'alerter les soixante-seize membres de la commission et de sonder le gouvernement. On devrait envisager de mieux associer les parlementaires à une action extérieure en leur donnant la faculté d'interroger des responsables présents sur un théâtre d'opérations.

Toutefois de telles auditions se heurtent à deux obstacles : la séparation des pouvoirs et la dépendance hiérarchique d'un diplomate à l'égard de son ministre.

Notre conception institutionnelle est différente de celle des États-Unis où, pour contrebalancer les pouvoirs du président, le Congrès approuve les désignations des ambassadeurs et les convoque à volonté. Dans l'hypothèse envisagée, il ne s'agirait nullement d'exercer un contrôle, mais plutôt de donner aux membres de la Commission des informations de première main sur le pays où sont engagés des soldats français. L'ambassadeur sollicité devrait recevoir l'autorisation de son ministre et être accompagné d'un membre de son cabinet. Une procédure analogue serait appliquée pour le commandant des unités françaises envoyées dans le pays en crise.

Depuis 1995, les autorités françaises ont affiné les rouages internes

---

15. Intervention du général de Saqui de Sannes au colloque organisé à l'École de guerre, au début de 2001, sur le thème « De la terre à la mer », *Bulletin des études de la marine*, février 2001.

des interventions hors des frontières, mais, à vrai dire, il n'existe pas de solution miracle pour qu'une opération extérieure soit un succès. Tout est affaire de circonstances, et, en ce qui concerne la synergie entre les diplomates et les militaires, de coefficients personnels. L'essentiel est l'existence au sein du gouvernement d'une réelle détermination politique, laquelle ne peut être que la résultante des ambitions qu'ont pour la France et sa place dans le monde les leaders nationaux, politiques entre autres, et l'adhésion des citoyens à ces ambitions.

**Georges-Marie Chenu**

# Afghanistan (1993-1997) : une ambassade sans ambassadeur

Didier Leroy

> « L'étranger qui se hasarde en Afghanistan est un homme favorisé du ciel
> s'il s'en sort sain et sauf et la tête sur les épaules. »
>
> Général Ferrier[1]

Dans le Boeing 727 d'Ariana Afghan Airlines qui m'emmène de Paris à Kaboul dans la nuit du 21 au 22 novembre 1993, avec des escales à Moscou et Tachkent, j'éprouve une sensation d'éternel retour vers un pays où j'ai vécu quatre ans et dont j'ai traité pendant deux ans au Quai d'Orsay. Un pays où tout change et rien ne change, où je vais retrouver les querelles des inusables ex-chefs de la résistance, attisées par les pays voisins qui cherchent tous à contrôler Kaboul, de crainte que tel ou tel autre voisin ne le fasse à leur place contre leurs intérêts réels ou mythiques.

En août 1993, le ministère des Affaires étrangères décida de rouvrir son ambassade en Afghanistan. C'était un an après sa fermeture, dans des circonstances tragiques, puisque trois de ses employés avaient été tués, le même jour, sous un bombardement. Il convenait toutefois de prendre en considération deux impératifs : limiter les risques humains et éviter d'envoyer un signal politique excessif au pouvoir en place, des

---

1. James Archibald Ferrier (1854-1934), Major général de l'armée des Indes. Cité par Raymond Furon, chargé de mission, in L'Afghanistan, Librairie Blanchard, Paris 1926. Raymond Furon fut chargé, en 1924, d'ouvrir l'ambassade de France à Kaboul.

plus instables. Il fut donc décidé de n'envoyer qu'un seul diplomate, qui serait « itinérant » ou « non résident » et aurait rang de chargé d'affaires et non d'ambassadeur, ce qui lui permettrait, en particulier, de s'affranchir d'une procédure formelle de demande d'agrément et de la cérémonie de remise des lettres de créance. Cette solution, encore inédite dans notre diplomatie, présentait, de plus, l'avantage de s'inscrire dans la continuité, puisque, depuis janvier 1980, la France n'avait plus d'ambassadeur à Kaboul : le dernier, Georges Perruche, avait en effet été rappelé en consultation à Paris quelques jours après l'intervention soviétique de Noël 1979 et l'installation à Kaboul d'un régime collaborateur. Les successeurs de l'ambassadeur Perruche, de janvier 1980 à août 1992, avaient tous été des « chargés d'affaires *ad interim* »[2].

Nommé en octobre 1993 pour une période d'essai qui ne devait pas dépasser un an, j'ai, en réalité, poursuivi cette mission pendant quatre ans. Au-delà des aspects parfois rocambolesques de mes navettes en Afghanistan, de leur caractère souvent périlleux, quels enseignements tirer de cette expérience administrative ? Était-elle adaptée au contexte diplomatique entourant la crise afghane ? Constitue-t-elle une formule d'avenir ou une simple péripétie ?

## Retour aux sources

En 1992, le ministère des Affaires étrangères comptait plusieurs ambassadeurs itinérants, les uns investis d'une mission thématique, les autres accrédités dans tel ou tel pays. La seconde catégorie est la plus ancienne, puisqu'elle remonte aux origines même de la diplomatie, qui a d'abord été itinérante et intermittente : on envoyait une « ambassade » auprès d'un souverain étranger puis, sa mission accomplie, celle-ci rentrait au siège. Les cas les plus fameux sont ceux de Guillaume de

---

2. Ouverte en 1924, trois ans après la proclamation définitive de l'indépendance d'un pays qui existait depuis 1747, l'ambassade de France à Kaboul connut deux fermetures jusqu'en 1992 : l'une de quelques mois en 1930, pendant les troubles liés à la prise de pouvoir éphémère du « Fils du porteur d'eau », un aventurier qui, après la fuite du roi réformateur Amanoullah, fut rapidement éliminé par Nâder Chah ; la seconde, du 6 février 1989 au 15 juin 1990, à une époque où le départ des troupes soviétiques, achevé le 15 février 1989, laissait craindre une phase de chaos qui ne survint en réalité qu'après l'entrée de la résistance dans Kaboul en avril 1992.

Rubrouck, dont l'ambassade fut envoyée – on n'ose dire dépêchée – par Saint Louis auprès du Grand Khan de Mongolie dès 1253[3] ; l'ambassade de Louis XIV auprès du chah de Perse ou encore celle du roi de Siam auprès du même Roi-Soleil sont restées fameuses. Au début du processus de formation des États modernes, les ambassades s'installèrent peu à peu à demeure et, dans la diplomatie française, les ambassadeurs itinérants et intermittents des origines firent place à un corps de fonctionnaires ou de dignitaires installés de façon permanente dans leur pays d'accréditation. Seuls avaient subsisté, à l'époque contemporaine, quelques ambassadeurs itinérants chargés d'une mission thématique.

Le morcellement inopiné de l'Union soviétique en une quinzaine d'États impliqua, pour le ministère des Affaires étrangères, la nécessité d'ouvrir, dans un délai très court, presque autant de nouvelles ambassades que de nouveaux États, sans que lui soient accordés pour autant, rigueur budgétaire oblige, les moyens financiers correspondants. Une douzaine d'ambassades de plein exercice, avec ambassadeur et personnel résidents, furent créées à partir de 1991, afin de tenir compte de la nouvelle carte du monde. Le dispositif fut complété par plusieurs ambassades réduites à leur plus simple expression – un ambassadeur itinérant – dans plusieurs pays comme la Mongolie, le Turkménistan, la Moldavie et dans un État africain nouvellement apparu – ou plutôt réapparu – à la même époque, l'Érythrée. La réouverture de Kaboul sous la forme « un homme, un ordinateur » obéissait, toutefois, moins à des considérations d'ordre budgétaire qu'au souci de limiter les risques humains et de ne pas envoyer de signal politique excessif en faveur du pouvoir en place.

## Comment être là sans être trop présent ?

Depuis l'intervention soviétique de la fin décembre 1979, l'Afghanistan a connu une succession de guerres s'inscrivant dans un même conflit. Volonté hégémonique de l'Union soviétique, basculement des

---

3. Voir Claude-Claire et René Kapler, *Guillaume de Rubrouck : Voyage dans l'Empire mongol, 1253-1255*, Imprimerie nationale, Paris, 1993.

équilibres régionaux avec la chute du régime impérial iranien en 1979, volonté de prépondérance croissante des autres acteurs de la région... tels étaient en 1993 les ingrédients du maelström d'ingérences extérieures alimentant le conflit afghan. Ces rivalités dévorantes[4] n'ont pu s'exercer dès le départ qu'au détriment de l'élément le plus faible, le plus vulnérable du système d'États de la région, un Afghanistan aux structures sociales archaïques, replié sur lui-même sous couvert d'une neutralité et d'un non-alignement qui ne suscitaient, en fin de compte, que la suspicion chez ses voisins, et affaibli par deux coups d'État communistes en 1978 et 1979.

En 1979 commence une première guerre, qui s'achève le 15 février 1989 avec le départ du dernier soldat soviétique. La deuxième guerre met aux prises la résistance afghane et le régime collaborateur laissé derrière eux par les Soviétiques, qui parvient « miraculeusement » à se maintenir au pouvoir jusqu'au 27 avril 1992. De cette époque à septembre 1996 fait alors rage une troisième guerre, qui oppose entre eux les différents vainqueurs de l'Union soviétique et du régime communiste issu de l'occupation. En septembre 1996, une faction islamiste fanatique et révolutionnaire, nouvellement apparue, mais héritière d'un mouvement radical né vers 1860 en Inde[5], en partie endogène politiquement, mais puissamment soutenue par l'étranger, parvient à prendre Kaboul, après la conquête de Kandahar, Hérat et Djallalabad, et à établir sa domination sur la majeure partie du territoire afghan. Elle ne parvient toutefois pas à réduire l'opposition, conduite par le commandant

---

4. On ne souligne pas assez que l'Afghanistan est le seul pays au monde entièrement bordé de puissances nucléaires ou sur le seuil du nucléaire : Chine, Pakistan, CEI, auxquels s'ajoutent l'Inde, puissance nucléaire quasi limitrophe, et un pays du seuil, l'Iran.

5. Le mouvement tâleb n'a pas mystérieusement surgi du désert du Régistan à l'automne 1994. Vers 1860, dans le sillage de la révolte des Cipayes (du mot persan signifiant « militaire », que l'on connaît bien en français sous la forme spahi), les élites musulmanes indiennes éduquées adoptent trois attitudes face à la prépondérance britannique : les unes adhèrent, selon des modalités variables, aux valeurs de la civilisation britannique, une autre catégorie propose une voie médiane (doctrine de la nadwat) reposant sur une synthèse des systèmes de pensée occidentaux et islamiques et une troisième école, dite de Déoband, radicale et fanatique celle-ci, prône l'incompatibilité de l'islam et des valeurs « anglo-chrétiennes » et appelle au rejet, à la rupture et à la reconquête. Cette dernière doctrine avait survécu, à l'état dormant, dans les réseaux des écoles de théologie sunnite du Pakistan et de la moitié sud de l'Afghanistan. Il a suffi aux stratèges pakistanais de structurer, d'organiser et d'activer ces réseaux avec les moyens financiers et techniques suffisants pour en faire une classe de révolutionnaires.

Massoud, dont l'avant-garde[6], à l'été 2001 et depuis janvier 1997, campe toujours aux portes de Kaboul[7].

En arrivant dans la capitale afghane, une ville dans laquelle j'avais vécu quatre ans pendant l'occupation soviétique, de 1980 à 1984, je retrouve une ambassade à moitié en ruine. Six carcasses de voitures calcinées encombrent la cour. La plupart des vitres et des portes ont volé en éclats. Les toits en tôle ondulée des garages et des bâtiments annexes jonchent le sol, tordus, déchirés, déjà rouillés. Le présent vivant, angoissant et brûlant, ce sont les bombardements, la vue de blessés, de cadavres, de scènes poignantes, souvent absurdes. La visite des hôpitaux de Kaboul en compagnie des médecins d'organisations humanitaires offre le spectacle insoutenable de jeunes femmes, d'enfants, de vieillards ensanglantés, meurtris, moralement écrasés par la poursuite, pour eux incompréhensible, d'un conflit qui eût dû s'achever avec l'écroulement du dernier régime communiste en avril 1992.

C'est peu de temps après ma première navette que survinrent les premiers bombardements. Ils ne cessèrent jamais et survinrent de façon sporadique jusqu'en septembre 1996, mis à part une période de paix totale de cinq mois en 1995, pendant laquelle Massoud avait repoussé tous ses adversaires à plus de cent kilomètres de Kaboul, mettant ainsi la capitale à l'abri des tirs de roquettes.

Quittant inopinément le « gouvernement d'unité nationale » issu de la victoire de la résistance, Hekmatyar et Dostom attaquèrent Kaboul le 1er janvier 1994. L'opération éclair dura en réalité six mois : ce n'est que le 18 juin suivant que Massoud et ses alliés chiites et pachtounes monarchistes et « traditionalistes » parvinrent à reprendre le contrôle de la capitale. Pendant ces six mois, deux lignes de front traversaient la ville, et des combats effrayants détruisirent une grande partie de Kaboul, faisant des milliers de victimes. Le Comité international de la Croix-Rouge a estimé à huit mille le nombre de morts et à quarante mille celui de blessés à Kaboul au cours de l'année 1994.

---

6. Cette avant-garde est constituée pour l'essentiel de commandants pachtounes, ce qui démontre que la clef de lecture strictement ethnique du conflit afghan n'est pas pertinente.

7. À l'heure où nous écrivons ces lignes, nous apprenons la nouvelle de la mort du commandant Ahmad Chah Massoud.

## Comment s'accomode-t-on dans le danger ?

À partir de cette période, les bâtiments de l'ambassade seront fréquemment atteints par les bombardements. Au total, treize obus, roquettes et bombes auront touché notre domaine pendant les quatre années de mes navettes à Kaboul. Le plus inattendu pour moi fut la facilité avec laquelle on s'installe dans une sorte de routine de la guerre. Une cinquantaine de Français vivaient à Kaboul, des médecins, des infirmières, des pharmaciens à la retraite. Personne n'est jamais parti parce qu'il avait peur. Comment s'installe-t-on dans le danger ? On le fait avec une pernicieuse, une trompeuse facilité. La guerre au quotidien devient très rapidement une sorte de normalité parallèle, avec ses règles et ses rituels.

Nombreux sont les hommes politiques, les chefs de guerre qui, pendant mon séjour, moururent peu de temps après que je les eus rencontrés. L'ayatollah Mazari, le chef de la minorité chiite, qui fut probablement assassiné en vol dans l'hélicoptère dans lequel des miliciens tâlebs l'emportaient prisonnier ; le général Ala-oddine, adjoint du gouverneur de Hérat, Ismaïl Khan ; le commandant Nasser Khan ; le premier ministre Ghaffourzaï, un véritable homme politique, qui, à peine nommé par le président Rabbani afin de réinsuffler du politique dans le champ de ruines de l'Afghanistan, meurt dans un accident (?) d'avion à l'atterrissage à Bâmiyân...

À l'ambassade, il fallut conjurer l'insolite, l'absurde, le sentiment d'impasse dominant ce conflit interminable. Je m'efforçai de remettre à flot le grand cargo abandonné dans les cales duquel je vivais. Au cours de ces vingt-sept missions, je fus souvent seul avec nos gardiens afghans, mais je fus parfois accompagné d'un chiffreur de notre ambassade à Delhi ou encore d'un garde de sécurité, gendarme ou policier venu de France. Je mis à l'abri les deux bibliothèques de l'ambassade, celle du centre culturel et ses six mille livres, et celle de l'ancienne mission archéologique, qui en compte onze mille ; pendant mon premier séjour à Kaboul, entre 1980 et 1984, nous avions sauvé cette dernière in *extremis*, au cours d'une opération clandestine qui nous permit de transférer en une journée et dans la plus grande discrétion ces onze mille livres de la mission archéologique à l'ambassade, et de sauver ainsi une bibliothèque, minutieusement constituée depuis 1921, des hordes soviéto-communistes qui menaçaient de la confisquer.

Nous aménageâmes confortablement le bunker. Construit en 1991 sous le potager de l'ambassade, il peut héberger une douzaine de personnes dans de minuscules chambres ressemblant à des cellules de moine. Il comprend aussi une petite pièce réservée aux transmissions et un grand « living-room » que nous équipâmes avec les plus beaux meubles qui restaient encore à la résidence de l'ambassade. Des copies de tableaux impressionnistes vinrent agrémenter les murs. Une des « cellules de moine » fut transformée en salle des cartes, ce qui me permettait de suivre avec précision l'évolution des différentes lignes de front et la progression des forces en présence. J'ai passé la plupart de mes séjours dans ce bunker, vaquant dans la journée à mes différentes occupations à l'extérieur, mais passant les nuits dans cet endroit parfaitement protégé où, de jour, nous nous réfugions dès que nous commencions à entendre des détonations.

Tous les trois mois environ, il fallait faire revenir les maçons, les plâtriers, les vitriers, les menuisiers afin de réparer les dégâts causés par les bombardements. Personne ne fut blessé à l'ambassade. Nous prîmes, parfois, quelques risques inutiles et stupides, il est vrai. Ils sont dus à cette vicieuse adaptation au danger à laquelle on succombe si facilement. Paris n'en a rien su. De même, je dus taire souvent dans mes télégrammes la proximité de certains bombardements, car je craignais que le département ne me demande de rentrer immédiatement à Paris, ce que je n'acceptais jamais sans protestations, car je laissais sur place une quarantaine de compatriotes qui, eux, vivaient à longueur d'année à Kaboul, avec tous les risques que l'on imagine. Heureusement, le secrétaire général du ministère me défendit toujours et me permit à plusieurs reprises de prolonger quelque peu mon séjour ou de repartir à Kaboul rejoindre « mes » Français.

## L'installation à Kaboul : le rituel et le tragique

À chacune des missions, qui duraient le plus souvent trois semaines, l'installation à Kaboul se déroulait toujours selon le même rituel. Arrivé par avion *via* Delhi ou Doubaï sur l'un des Boeing 727 achetés d'occasion à Air France par Ariana Afghan Airlines en 1992, je commençais par installer immédiatement au-dessus du bunker la station de transmissions dont j'avais apporté de Paris avec moi les éléments les plus sensibles. Il s'agissait d'un téléphone satellite Inmarsat (une énorme valise de 45 kilos), dont je déployais et réglais, non sans mal, l'antenne en « parapluie retourné » et à laquelle je raccordais dans mon petit local de transmissions, dans le bunker, un combiné téléphonique, un télé-copieur et une machine à chiffrer en code secret, une sorte d'ordinateur. Ces différents équipements me permettaient d'échanger avec Paris des télégrammes diplomatiques comme n'importe quelle autre ambassade, des télécopies, et aussi de correspondre facilement avec nos postes de la région, Delhi principalement, qui était ma base arrière et de laquelle je reçus une aide extrêmement précieuse. Après parfois plusieurs heu-res de réglages, et de pannes fréquentes du groupe électrogène, seule source d'électricité possible, je parvenais enfin à envoyer le premier télégramme chiffré, qui signalait mon arrivée : « De Kaboul à diplomatie Paris : la station Kaboul est ouverte. » Le séjour se terminait toujours par le télégramme rituel « De Kaboul à diplomatie Paris : la station Ka-boul est fermée », juste avant que je ne scelle la valise diplomatique, qui allait me suivre jusqu'à mon arrivée à Paris, et que je ne referme les multiples armoires fortes et l'énorme porte blindée à combinaison du bunker, digne de la Banque de France.

Les progrès techniques intervenus depuis 1993 en matière de trans-missions diplomatiques méritent d'être notés, car ils rendront plus aisée l'ouverture éventuelle de nouvelles ambassades itinérantes. À mon ar-rivée, le téléphone satellitaire pesait quarante-cinq kilos ; il fut remplacé deux ans plus tard par une valise de treize kilos fonctionnant sur une simple batterie de voiture. Il m'arriva ainsi de téléphoner au Départe-ment depuis le fin fond du Panjchir et de recevoir du courrier par télé-copie sur l'écran de mon ordinateur portable. À la fin de mon séjour, le dernier téléphone par satellite dont je fus équipé ne pesait plus que trois kilos. Depuis peu, les deux ordinateurs qui m'étaient nécessaires à Kaboul pour envoyer mes télégrammes diplomatiques (l'un pour le traitement de texte, l'autre pour le chiffrement en code secret) se ré-duisent à une machine unique et très légère. Ces considérations d'ordre technique sont d'une importance vitale pour un diplomate itinérant dans un pays en guerre. Les progrès réalisés montrent qu'il est désor-mais possible d'équiper ce diplomate d'un matériel de communications sûr, léger, autonome et peu coûteux. Le prix de l'ensemble ne doit probablement pas dépasser une dizaine de milliers de francs alors que, en 1993, la valise téléphonique Inmarsat de 45 kilos coûtait, m'a-t-on dit, 200 000 francs.

La deuxième étape suivant mon arrivée consistait, le lendemain de mon installation dans le bunker de l'ambassade, à faire une visite de courtoisie au chef du protocole au ministère des Affaires étrangères afin de lui notifier mon arrivée et la durée prévue de mon séjour. Je sollicitais aussi auprès de lui des rendez-vous avec certains ministres ou dirigeants politiques et militaires en fonction des instructions données par la Direction d'Asie et d'Océanie avant mon départ de Paris. Je devais également l'informer, le cas échéant, de mon intention de franchir telle ou telle ligne de front afin d'aller rencontrer tel ou tel dirigeant « ennemi ». Je ne manquais jamais – conformément au rôle de médiation que nous entendions jouer – de demander à mes interlocuteurs du pouvoir en place (Massoud et ses amis politiques jusqu'en septembre 1996, puis le régime tâleb) si un message politique pouvait être transmis à l'« autre côté ». Je parvins ainsi, à plusieurs occasions, à convoyer des propositions de rencontres ou d'échanges de prisonniers.

C'est au cours d'une de ces visites au chef du protocole, M. Âssem, que lui et moi vîmes passer la mort de près. Tandis que nous prenions le thé, deux roquettes, tirées à une douzaine de kilomètres, vinrent exploser dans le bureau voisin. Un peu commotionnés, nous nous relevâmes à tâtons dans un nuage de plâtre et au milieu des éclats de verre et des gravats que les deux puissantes explosions avaient pulvérisés dans le bureau pour nous précipiter dans le couloir. J'aidai à porter un blessé, que nous voulions faire transporter immédiatement à l'hôpital de la République (Chafâ-Khâna-yé Djamouriyat), situé non loin de là et où travaillait une équipe de Médecins sans frontières. Il mourut dans mes bras. C'était un diplomate de la direction des Nations unies du ministère afghan des Affaires étrangères.

Comment établir le bilan politique de ces vingt-sept voyages ? Les contacts avec les dirigeants et les personnalités politiques furent nombreux : le président Rabbani, le commandant Ahmad Chah Massoud, Ismaël Khan, gouverneur de Hérat, Younous Khâlès et Rassoul Sayyaf, deux vieux chefs traditionalistes, Guilani le gentleman, le vénérable Modjadeddi, éphémère président de la République après l'entrée de la résistance dans Kaboul en 1992, ainsi que des généraux, des chefs religieux, les maires de plusieurs grandes villes. Je regrette encore, en revanche, de n'avoir pas pu rencontrer la seule femme général de l'armée

afghane, chef du service de santé des armées à l'époque où le commandant Massoud contrôlait Kaboul. Les moments les plus émouvants ont
été mes rencontres à Rome avec le roi Zaher Chah, renversé en 1973,
vieux francophone exquis, passionné d'archéologie et d'arboriculture.
Il fait partie, avec Ahmad Chah Massoud, quelques autres grands chefs
de la résistance, le poète Majrouh[8] et le roi Amânoullah, des grands
Afghans qui resteront dans l'histoire du XXᵉ siècle.

Je pus me rendre quatre fois à Kandahar, autant à Hérat et à Mazar-é
Charif, ainsi qu'à Gardez, Djallalabad, et dans des hameaux perdus du
Logar, de la Kounar, du Laghman ou du Hazaradjat, où je visitai dispen-
saires de campagne, centres vétérinaires, hôpitaux ruraux, pépinières et
mines de charbon gérées par des ingénieurs afghans et des organisations
humanitaires françaises. Les déplacements avaient lieu soit à bord de la
vieille Peugeot tout-terrain de l'ambassade, bientôt remplacée par une
Land Rover, en compagnie de deux ou trois de nos employés afghans,
soit à bord des avions du Comité international de la Croix-Rouge, qui
reliaient la plupart des grandes villes afghanes, les vols intérieurs de la
compagnie Ariana n'étant qu'épisodiques, au contraire des vols internationaux, qui restèrent réguliers jusqu'à la fin de mon séjour.

Aucun peuple n'est probablement plus xénophile que les Afghans,
du moins à l'égard de l'étranger qui ne vient pas l'envahir. La violence
reste toutefois là, tapie, latente. Sans parler des conflits politiques ou
confessionnels, ce monde essentiellement agro-pastoral est rempli de
querelles sordides, de vendettas, de tueries pour des litiges de partage
des eaux d'irrigation, mais aussi d'une immensité métaphysique qui
renvoie à la noblesse des paysages, à la propension des Afghans au silence et au recueillement, à la prégnance diffuse de la mort, même en
temps de paix. Par sa violence et son dépouillement, par ses bascule-
ments fréquents et toujours inattendus entre le sordide et le spirituel,
cet univers n'est peut-être pas sans rappeler les temps bibliques de l'Ancien Testament, où la créature, écrasée par la Loi, est cependant grandie
par l'omniprésence intangible mais tangentielle et garantie d'un Dieu
tout-puissant.

--------

8. Publié en français aux Éditions de l'Aube, chez Gallimard et aux éditions Phébus.

## Diplomatie itinérante et micro-ambassades : des formules d'avenir

Au cours de ces quatre années, j'ai effectué vingt-sept séjours de trois semaines chacun en moyenne. La présence fréquente à Paris du chargé d'affaires lui permet de participer, dès son retour de mission, à de multiples réunions interministérielles, d'apporter des témoignages directs et récents de la situation politique et militaire telle qu'il l'a perçue sur le terrain, de donner son sentiment sur l'efficacité de notre action humanitaire et sur l'utilisation qui est faite des deniers de l'État sous la forme de subventions aux organisations non gouvernementales.

Il ne m'appartient pas de dire ici si cette mission en pointillés à Kaboul a été un succès, ni quel aura été son apport réel à la connaissance qu'a le ministère des Affaires étrangères du conflit afghan. L'essentiel est de savoir qu'une telle représentation diplomatique, réduite à sa plus simple expression, peut fonctionner, même si les difficultés opérationnelles sont nombreuses.

La nomination d'un chargé d'affaires itinérant dans un pays en guerre, à l'avenir incertain et dont le pouvoir en place ne possède qu'une légitimité discutable, peut, à la lumière de cette expérience menée en Afghanistan, être une solution adaptée aux circonstances.

Le coût budgétaire d'une telle formule reste bien entendu inférieur à l'entretien d'une ambassade de plein exercice. Il convient toutefois de n'appliquer cette configuration administrative, empreinte de fragilité et d'un manque de visibilité parfois taxé, à tort, d'ambiguïté diplomatique, que dans des situations politiques qui le justifient (état de guerre, instabilité politique prolongée, absence de relations bilatérales substantielles). Cette expérience menée à Kaboul tend peut-être à montrer que l'outil administratif propre à traiter ce type de situation existe. La mise en œuvre relève néanmoins d'une décision politique.

**Didier Leroy**

# 4 | Regards extérieurs

# Le « Quai » vu du Foreign Office

Entretien avec Joanna Kuenssberg

Après avoir passé avec succès les épreuves du concours des cadres administratifs britanniques en 1995, Joanna Kuenssberg choisit d'intégrer l'European Fast Stream, une sorte de « filiale » à part de l'administration centrale dont l'objectif est de former des cadres aux affaires communautaires, et d'assurer la présence des Britanniques dans les institutions européennes. Elle débute sa carrière au ministère de l'Environnement britannique, avant de travailler un an à la Commission européenne, puis d'intégrer le Foreign Office. Après presque deux ans à Londres, elle effectue deux stages, l'un au ministère des Affaires étrangères hongrois et l'autre au sein de la Direction de la coopération européenne du Quai d'Orsay pendant la présidence française de l'UE. Son actuel et premier poste d'affectation en tant que premier secrétaire est l'ambassade de Grande-Bretagne à Paris, où elle traite de dossiers communautaires.

*Lucile Desmoulins. – Quelles sont les principales ressemblances et différences entre les diplomates français et leurs homologues britanniques ?*

Joanna Kuenssberg. – Je dois préciser que je connais surtout les diplomates français des affaires communautaires, que j'ai trouvés plus ouverts que la moyenne des diplomates. Certains diplomates, tant français que britanniques, sont des « mordus » du communautaire. Ils se ressemblent : jeunes, enthousiastes, très intelligents et de compréhension rapide, l'esprit pratique. J'ai été frappée par l'accueil que mes collègues français m'ont réservé lors de mon stage à la Direction de la coopération européenne. Certains avaient fait leur stage pour l'ENA au Foreign Office ou au sein d'autres ministères britanniques ; ils étaient tous favorables au développement des échanges bilatéraux communautaires.

Globalement, les traditions diplomatiques se ressemblent. Cela dit, j'ai l'impression que les méthodes de travail françaises se distinguent dans la mesure où le Quai rédige une quantité impressionnante de documents très détaillés, très bien informés, tandis que nos diplomates favorisent les briefings oraux et les contacts informels. En France, vous avez aussi les cabinets ministériels qui s'impliquent dans le détail de la gestion quotidienne des dossiers beaucoup plus que les *private offices* à Londres. Nos ministres sont entourés d'un bureau qui ne fait que coordonner le travail des services. Par contre, dans les services techniques, vous êtes moins nombreux : pour un seul rédacteur communautaire au Quai d'Orsay, on a un bureau de deux à six personnes au Foreign Office. En contrepartie, votre SGCI (le secrétariat général du Comité interministériel pour les questions de coopération économique) dispose de plus d'actifs que notre *European Secretariat*, qui exerce plus ou moins les mêmes fonctions.

*Hors du cadre communautaire, voyez-vous d'autres ressemblances et différences ?*

L'ambiance à la DCE était identique à celle des sous-directions homologues à Londres. Les objectifs, les méthodes de travail sont quelquefois différents, mais pas les êtres humains. La pratique de la diffusion automatique de l'information est bien ancrée dans notre culture administrative, ce en quoi nous différons un peu de la France. Nos conceptions respectives de la hiérarchie administrative ne sont pas les mêmes. En effet, les rédacteurs britanniques signent leurs notes, alors que celles rédigées par les rédacteurs français portent la signature de leur sous-directeur. Ce « privilège » nous est inconnu et j'ajoute qu'une telle pratique serait perçue comme une source de démotivation.

*Remarquez-vous aussi des différences dans le style, le contenu des télégrammes ?*

Les télégrammes britanniques sont devenus relativement informels, cela m'a frappée à mon retour de stage à la DCE du Quai ; j'ai même dû me réadapter au style de la maison ! Ils privilégient la concision, la clarté du message. Nous suivons des formations permanentes pour travailler notre style écrit et oral. Significativement, le personnel d'un nombre décroissant d'ambassades britanniques continue à appeler le numéro 1 « Monsieur ou Madame l'Ambassadeur ». L'ancien ambassadeur britannique à Paris, le renommé sir Michael Jay, se faisait appeler « Michael » par le personnel de l'ambassade, à l'écrit comme à l'oral. Nos « poids lourds » se comportent de manière relativement naturelle. À Londres, les directeurs furètent dans leur service, on les croise dans les couloirs, ils consultent directement les rédacteurs. Dans un autre esprit, vos diplomates à la retraite se font encore appeler « Monsieur le Ministre plénipotentiaire ».

*Comment les diplomates sont-ils recrutés et formés ?*

Nous n'avons pas d'école spécifique comme l'ENA, mais des universités. Avec l'équivalent d'un diplôme de troisième cycle, obtenu dans n'importe laquelle de nos universités, on peut se présenter à un grand concours commun pour tous les cadres de l'administration. Il y a deux sessions par an. Pendant la première journée d'épreuve, les candidats répondent à des QCM de connaissance et de logique (verbale et mathématique). La minorité des candidats ayant franchi cette barrière est convoquée pour l'épreuve suivante à Londres, où ils participent durant deux jours à des exercices de résolution de problèmes en groupes de cinq personnes, ils passent des épreuves écrites et subissent des entretiens individuels avec les trois membres du jury. Enfin, quelques semaines plus tard, ils sont soumis à un entretien devant un grand jury composé de hauts fonctionnaires, ainsi que de représentants du privé et de l'université.

Dès la deuxième épreuve, les candidats établissent une liste de leurs affectations de préférence. Foreign Office et European Fast Stream arrivent en tête de ce classement des administrations centrales. D'après Robin Cook, ancien ministre des Affaires étrangères, le Foreign Office côtoie la BBC et Arthur Andersen dans le peloton de tête des carrières les plus recherchées par les étudiants. Il n'est pas nécessaire de maîtriser une langue étrangère pour présenter le concours général des cadres de l'administration britannique. Par contre, le jour de l'entretien final, les candidats retenus répondent à un amusant test de capacité d'apprentissage des langues basé sur une langue virtuelle. Avec un bon score à ce test, les candidats se verront offrir la possibilité d'apprendre les langues dites « difficiles », par exemple le chinois, l'arabe ou le coréen.

Après la réussite au concours, les futurs diplomates passent trois semaines d'insertion à Londres, au Foreign Office. Ils suivent des cours magistraux, ils visitent les différents ministères et écoutent des interventions de diplomates expérimentés. Tout au long de leur carrière, ils suivent des cours théoriques, des cours très opérationnels en gestion des ressources humaines, ou bien en affaires consulaires, mais aussi des formations plus atypiques en « rapports humains ». Les pratiques d'évaluation des performances sont très importantes dans la gestion des carrières. On suit une formation spéciale pour apprendre à répondre à un formulaire d'évaluation de quinze pages. Celui du Quai est beaucoup moins approfondi... Désormais, de l'évaluation dépend une partie du salaire.

*Quel est le profil type du diplomate britannique ?*

Le profil stéréotypé du diplomate britannique était celui d'un homme blanc et aisé ayant étudié à Oxford ou à Cambridge, titulaire d'une licence d'humanités ou de PPE – politique, philosophie, économie. De nos jours, les profils sont bien plus divers, avec des recrutés ayant étudié l'anglais, la physique, les maths, la musique, etc. Selon les statistiques, le Foreign Office est l'administration la moins ouverte aux femmes et aux personnes appartenant à des minorités ethniques. Notre objectif d'ici à 2005 est d'avoir 20 % de femmes et 2 % de minorités ethniques aux postes de direction. Le FCO – sigle complet du Foreign and Commonwealth Office, le nom véritable du ministère – organise aussi des journées portes ouvertes dans de petites et moyennes universités pour élargir sa base de recrutement.

*Peut-on parler d'un esprit de corps des diplomates britanniques ?*

Contrairement à vous, nous n'avons pas d'ENA ou de catégories de fonctionnaires imperméables. Chacun peut, théoriquement, monter en grade à l'expérience et au mérite. On connaît un certain esprit de département, un esprit de génération ou une solidarité entre personnes du même poste à l'étranger plutôt qu'un esprit de corps.

*Quel est le rapport au politique des diplomates britanniques ? En quoi est-il différent de ce que nous connaissons en France ?*

On peut parfois deviner les affinités politiques des fonctionnaires, mais elles importent peu ou pas. Les diplomates, comme les autres fonctionnaires, peuvent adhérer à un parti politique, mais ils ont un devoir de réserve et ne doivent pas poser leur candidature à une élection. De toute façon, ils tendent généralement à adopter une attitude très distancée par rapport à la vie politique. Nous ne connaissons pas de valse des directeurs et des ambassadeurs à chaque nouvelle législature, comme les Américains. Lors de l'alternance travailliste consécutive à dix-huit années de gouvernement conservateur, les journaux ont parlé de risques de limogeage, mais on n'a rien vu de tel. Les fonctionnaires sont d'abord des conseillers professionnels non partisans. Par exemple, l'actuel ambassadeur de Grande-Bretagne à Paris, sir John Holmes, a travaillé en tant que conseiller diplomatique auprès de John Major et de Tony Blair. Un fonctionnaire peut refuser d'accomplir certaines tâches qui lui paraissent trop « politiques » et les renvoyer aux conseillers politiques des ministres.

*Quelle est la mobilité des Britanniques, à quel rythme changent-ils de poste ?*

Les diplomates britanniques passent entre la moitié et les deux tiers de leur carrière à l'étranger. La durée des affectations varie de deux à quatre ans. En ce qui concerne l'attribution des postes, une liste des postes vacants est publiée, liste à l'intérieur de laquelle nous établissons un classement de nos cinq à douze destinations de prédilection. Les destinations figurant sur cette liste sont des affectations impératives. Les postes les plus demandés sont Paris, Washington, Bruxelles à l'UE et New York à l'ONU. Quand des postes ne trouvent pas preneur, l'administration peut négocier avec les personnels idoines jusqu'à ce qu'elle obtienne gain de cause puisque nous avons une obligation de mobilité. Comme celui de la France, notre réseau diplomatique est très important, certaines destinations sont obligatoirement moins populaires. Il peut être intéressant financièrement d'aller dans des pays lointains.

Nous sommes moins bien payés que les diplomates français. Mais, puisque l'ambassade paie notre loyer et la scolarité de nos enfants à l'étranger, nos situations sont comparables.

Au cours de sa carrière, un diplomate britannique peut décider de travailler à mi-temps notamment à Londres, ou bien prendre cinq années de congé sabbatique et retrouver son poste au même niveau. Certains en profitent pour reprendre des études, d'autres font des bébés ou un trek au Vietnam.

*La mondialisation a-t-elle eu un impact sur la pratique diplomatique britannique ?*

Nous avons plus de missions diplomatiques que jamais. Elles se perçoivent comme des prestataires de services auprès de nombreux « clients » : le Foreign Office, les autres ministères, le monde économique, le grand public, les voyageurs. Nous sommes conscients qu'il faut adapter notre rôle aux besoins de nos clients. Le champ d'action des ambassades s'est beaucoup élargi. Il y a peut-être eu des résistances chez ceux qui ont connu l'ancien régime, mais ils ont vite été convaincus qu'il fallait d'abord apporter à nos nombreux clients les solutions dont ils avaient besoin. Le FCO reprend à son compte les objectifs de toute l'administration britannique. Dans mon service, par exemple, nous avons des objectifs communs avec les ministères des Finances et de l'Industrie. Nous avons des contacts quotidiens avec les ministères français des Finances, de l'Économie et de l'Industrie, de l'Agriculture, de la Solidarité, ainsi qu'avec le Quai d'Orsay, Matignon et l'Élysée. De surcroît, en ce qui concerne le monde extérieur à l'administration, le Foreign Office, comme le reste du gouvernement d'ailleurs, consulte les ONG et les chercheurs universitaires, qui, parfois, expriment des analyses intéressantes.

*Les diplomates français sont-ils très différents de tous les autres diplomates ?*

Pour l'essentiel, non : ils sont très intelligents, capables de maîtriser des dossiers très techniques, et beaucoup de dossiers simultanément. Une chose m'a frappée, ils sont très attachés à la défense de la langue française, même s'ils parlent très bien l'anglais, l'espagnol, l'arabe ou d'autres langues. Paradoxalement, ils parlent de « timing », de négociations en « off » et de « *no strong feelings* » ! Il est exigé de certains diplomates français qu'ils s'expriment dans leur langue natale alors que leur interlocuteur ne comprend pas le français et qu'ils maîtrisent, eux, la langue de leur interlocuteur !

*Quels sont les diplomates britanniques qui ont marqué leur temps ?*

De nos jours, les diplomates sont plus ou moins anonymes. Le grand public ne peut les nommer. Winston Churchill était diplomate et homme politique. Duff Cooper, le premier ambassadeur à Paris après la Seconde Guerre mondiale, a joué un rôle crucial dans les relations franco-britanniques. Lord David Hannay, l'envoyé spécial de l'Union européenne à Chypre, est très connu... uniquement dans le milieu diplomatique. Nous n'avons pas d'écrivains très connus qui auraient été diplomates comme c'est le cas en France. Douglas Hurd a écrit des romans, il a été ministre et diplomate, mais ses « œuvres » n'entrent pas dans la littérature.

*Quels sont les diplomates et les ministres des Affaires étrangères français qui ont le plus marqué leur temps ?*

Colbert, qui n'était pas vraiment ministre des Affaires étrangères, a marqué la face de l'Europe. Est-ce que Jean Monnet était vraiment un diplomate ? Il était tout à la fois et il faut le citer parmi les personnalités européennes marquantes. De nos jours, je citerais Pierre Vimont, l'actuel représentant français auprès de l'UE, et Pierre de Boissieu, l'adjoint de Javier Solana. Je suis sûre que de nombreux ministres français ont joué un rôle décisif car un ministre d'un pays comme la France se doit d'avoir du poids.

*Comment décririez-vous en quelques mots le métier de diplomate à quelqu'un qui ne le connaît en rien ?*

La diplomatie, c'est la négociation – soit politique, soit économique, soit familiale ! Être diplomate, c'est essayer d'assimiler les perspectives de tous les intéressés et d'imposer un accord dont les termes soient les plus favorables possible à son camp. Le diplomate doit comprendre vite beaucoup d'informations et essayer de concilier différents intérêts. Dans le domaine communautaire, les diplomates sont des professionnels pointus travaillant sur les détails de dossiers très techniques. Quelqu'un a dit que le rôle du Foreign Office depuis la Seconde Guerre mondiale était de gérer le déclin de notre empire. La France et la Grande-Bretagne sont concernées par cette définition et ont décidé, toutes deux, de s'intégrer pleinement aux enceintes internationales afin de continuer à jouer un rôle mondial.

*Je vois sur votre bureau deux articles parus très récemment dans* Le Monde *sous la plume de Sylvain Cypel. Quelles sont vos réactions ?*

Il évoque des efforts de modernisation du Quai. Il serait souhaitable que le Quai décourage les pratiques protocolaires et le langage trop formel. La quantité des productions écrites en poste et en administration centrale pourrait être encore revue à la baisse. Le Foreign Office a lancé un programme de modernisation des méthodes de travail au quotidien, de la gestion des ressources humaines et financières, et de la diffusion des informations. Nous savons combien de temps et d'énergie il faut consacrer à de telles réformes. Leur mise en œuvre n'est pas chose aisée. Pourtant nous savons que – bien qu'il ne soit pas facile de bouleverser les traditions d'une administration comme un ministère des Affaires étrangères – le jeu en vaut la chandelle.

**Propos recueillis par Lucile Desmoulins**

# Une vision néerlandaise

Entretien avec Marnix Krop

Se définissant lui-même comme un « faux diplomate » parce qu'il a exercé la profession d'avocat et de chercheur avant d'intégrer le ministère des Affaires étrangères en 1989, Marnix Krop est le numéro 2 de l'ambassade des Pays-Bas à Paris depuis 1998. Spécialiste des questions internationales, il a notamment travaillé au sein du « bureau recherches » du Parti social-démocrate néerlandais. Ancien directeur du centre d'analyse et de prévision du ministère des Affaires étrangères des Pays-Bas, il a aussi été conseiller de MM. Van Mierlo et Pronk, ministres, respectivement, des Affaires étrangères et de la Coopération.

*Lucile Desmoulins. – Quelles sont les principales ressemblances et différences entre les diplomates français et leurs homologues néerlandais ?*

Votre question porte sur les diplomates et sur les diplomaties. Commençons par ces dernières. Elles se ressemblent plus qu'on ne le pense. Comme la France, les Pays-Bas ont leur propre vision du monde et nourrissent un vrai projet, ce qui n'est pas courant dans les pays de taille moyenne. Conscients de notre taille, nous pensons que notre insertion sur la scène internationale passe par l'Europe et nous nous donnons les moyens de nos idées. Les Pays-Bas disposent en effet de forces armées et d'un budget de coopération considérable (0,8 % du PNB). Ils sont présents dans beaucoup d'institutions internationales et entretiennent aussi des relations bilatérales privilégiées. Comme la France, les Pays-Bas prennent des initiatives, défendent des positions risquées, s'intéressent à des questions universelles, comme les droits de l'homme, les conflits balkaniques. Une communauté de vision entre les deux pays s'est fait jour en Bosnie. Un bataillon néerlandais a participé à une force d'extraction française présente en Macédoine, la brigade Valentin, et les deux pays se sont aussi engagés dans la KFOR au Kosovo. Notons également que la France a apporté une protection depuis Djibouti aux forces néerlando-canadiennes sous mandat onusien en Éthiopie.

*Venons-en aux différences entre les diplomaties française et néerlandaise...*

Nous avons des différences d'approche sur la construction de la défense européenne, bien que nous œuvrions ensemble à l'élaboration d'une politique de sécurité et de défense commune. Pour nous, la participation des États-Unis à la défense de l'Europe reste indispensable. La France a accepté le rôle américain de garant pendant la guerre froide, mais elle tolère mal la position dominante américaine sur les questions de sécurité. Si la France et les Pays-Bas souhaitent aussi ardemment la création d'une capacité européenne de sécurité et de défense, ils envisagent ce concept de manière différente. Nous mettons l'accent sur le mot « capacité », donc sur la sécurité ; vous mettez l'accent sur le mot « européenne », sur l'indépendance vis-à-vis des États-Unis. Nous refusons toute duplication des institutions, des budgets et des procédures OTAN-UE. Pourquoi l'UE disposerait-elle d'une capacité rigoureusement autonome ? Que l'on ne vienne pas nous accuser de ne pas être suffisamment impliqués dans la PSDC ! Seuls les Pays-Bas ont augmenté leur budget de défense en conséquence.

Nous faisons plus confiance que les Français aux institutions multilatérales pour résoudre les problèmes sociétaux et de sécurité. La diplomatie française s'inscrit dans une tradition pragmatique qui valorise le pouvoir, les relations bilatérales. La diplomatie néerlandaise est traditionnellement multilatérale et légaliste. La Cour internationale de justice siège à La Haye, ainsi que le tribunal pénal pour l'ex-Yougoslavie. Au niveau européen, les Pays-Bas ont pourtant joué la carte bruxelloise, alors que la France a toujours entretenu des relations bilatérales intra-européennes privilégiées. Depuis quelques années, nous avons réalisé qu'à Bruxelles mieux vaut avoir des amis qu'avoir raison. Aujourd'hui, nous parlons moins d'intégration mais nous en rêvons toujours.

*En ce qui concerne les corps diplomatiques et les diplomates, qu'est-ce qui distingue ou rapproche les Français et les Néerlandais ?*

La densité du réseau diplomatique néerlandais ne peut être comparée avec celle du réseau français, qui arrive en deuxième du classement derrière les États-Unis, mais nous sommes dans le « top ten ». La politisation est moins un problème aux Pays-Bas qu'en France, car nous sommes dirigés en alternance par des coalitions et aussi parce que nous n'avons pas de cabinets ministériels. Un ministre travaille indifféremment avec tous ses fonctionnaires. Les diplomates néerlandais sont aujourd'hui des exécutants, comme leurs homologues français. Mais, par le passé, ils ont pris d'importantes libertés par rapport aux politiques. Dans les années 1970, les diplomates en poste en Amérique latine dans des pays gouvernés par des juntes militaires n'ont pas toujours appliqué la politique du gouvernement, qui critiquait par exemple le régime dictatorial de Videla en Argentine. On sait aussi que l'ambassade à Pretoria s'est alignée tardivement sur la politique anti-apartheid des Pays-Bas. Pourquoi un tel décalage ? Parce que la diplomatie était une caste fonctionnant par cooptation, une élite sociale. Aujourd'hui, a contrario, la base de recrutement du ministère est très étendue en termes de formation, de milieu social. Le corps diplomatique s'est composé par vagues successives : d'abord, l'élite aristocratique et la haute bourgeoisie. Ensuite, une vague calquée sur le modèle du fonctionnaire européen, celle des spécialistes technocrates, non pas juristes ou historiens polyglottes mais économistes ou sociologues. Les langues étrangères ne sont pas déterminantes dans une carrière diplomatique, contrairement à la discipline académique et surtout la spécialité (l'UE, l'ONU, le développement, le commerce, la sécurité). C'est une différence avec la France même si certains diplomates évoluent au sein d'une même région. La troisième vague correspond aux diplomates de la coopération, économistes, ingénieurs, anthropologues. Nous avons connu une réforme en 1996 qui a mêlé les effectifs du « Buza » – surnom du ministère des Affaires étrangères « classique » – et ceux de la Coopération. Grâce à son budget, le ministre de la Coopération talonnait le ministre des Affaires étrangères. Les diplomates de la Coopération étaient plutôt de gauche si bien que l'actuel corps diplomatique est équilibré politiquement.

*Comment se fait le recrutement des diplomates néerlandais ?*

Depuis une réforme amorcée en 1998, nous n'avons plus de concours à la française mais des ouvertures de postes et une sélection des candidats sur curriculum vitae et sur entretien. On privilégie la formation universitaire, le niveau et l'expérience. Avant, les diplomates recrutés sur concours bénéficiaient d'une formation spéciale, « *klasje* » en néerlandais. Quelques-uns dormaient parfois sur leurs lauriers, assurés d'atteindre le grade d'ambassadeur. Aujourd'hui, de telles garanties n'existent plus, ce qui dilue l'esprit de corps des diplomates traditionnels. Certains diplomates traditionnels en fin de carrière ne seront jamais ambassadeurs et dénoncent une rupture de contrat. Le système est désormais plus ouvert, il est donc plus brutalement sélectif. Désormais, si les ambassadeurs et les cadres sont nommés par le ministre, ces derniers choisissent librement leurs collaborateurs. La liste des postes vacants est publiée, chacun peut y postuler selon ses vœux. On est passé d'un système d'allocation de main-d'œuvre à la soviétique, centralisé, à une économie de marché où chacun doit investir dans sa propre qualification professionnelle.

Le nouveau système connaît des faiblesses qui imposent la réintroduction de certains éléments de l'ancien système, notamment le concours et une « *klasje* » nouvelle formule. Sans une forme de régulation centralisée, des postes restaient vacants à Kigali ou dans certains pays arabes, où les femmes diplomates et les épouses de diplomates refusent d'aller. Les postes les plus demandés, Washington, Bruxelles, Berlin, Londres et Paris, recevaient des dizaines de candidatures pour chaque poste vacant. Des mesures incitatives ont été prises pour pourvoir les postes difficiles, des accélérations de carrière, des primes, des obligations de mobilité. On va aussi développer un « service civil » sur le modèle britannique, qui permettra aux fonctionnaires de circuler librement entre les ministères. Le bilan de cette réforme reste pourtant positif. Un vrai appel d'air. Chacun est responsable de son évolution de carrière, il n'y a plus de rente à vie, d'arbitraire ni de réclamations auprès du ministre.

Nous bénéficions aujourd'hui d'une politique de ressources humaines avec des formations techniques, des formations pour une meilleure appropriation du nouveau système d'évaluation (y compris de ses supérieurs), des primes liées aux performances, des aides logistiques à la mobilité, au rassemblement familial (accessible aux couples homosexuels).

*Quelles sont, selon vous, les forces et les faiblesses des diplomates français ?*

Les diplomates français cherchent des liens avec la société, certainement depuis les réformes récentes introduites par Hubert Védrine. J'ai pu constater en France un besoin d'ouvrir le corps diplomatique vers l'extérieur, de changer les méthodes, de moderniser les postes à l'étranger, d'adapter l'effectif aux besoins. La France a besoin de diplomates qui non seulement fréquentent les seuls cercles gouvernementaux, mais aussi de professionnels ouverts à la société, par exemple aux ONG et aux entreprises. La diplomatie française est en train de changer par le haut son mode de sélection, sa formation, ses méthodes, ses tâches par rapport aux autres ministères, à l'Élysée, à Matignon. Elle reste remarquablement efficace, compétente et bien organisée, mais ses diplomates se sentent un peu en marge de l'air du temps. La diplomatie néerlandaise a eu le même problème, mais le nouveau système de recrutement, la professionnalisation et la fusion des deux ministères facilitent l'adaptation.

*Quel statut a la carrière diplomatique aujourd'hui aux Pays-Bas ? Le métier de diplomate est-il attractif ?*

Comme en France, la carrière diplomatique attire beaucoup de diplômés, non pas pour des raisons salariales mais souvent par goût de l'aventure, de l'ouverture vers des pays lointains, et aussi par idéalisme et volonté de participer au service public.

*Quelles sont les autres réformes mises en route au sein du ministère des Affaires étrangères néerlandais ?*

C'est une forteresse masculine, sauf à La Haye parce qu'il est plus facile pour les femmes de travailler dans leur pays. Nos quatre directeurs généraux d'administration centrale sont des hommes. La préférence est aujourd'hui accordée aux candidates, pourvu qu'elles en aient la compétence, ce qui fait évoluer très rapidement les choses, tous ministères confondus. Il ne s'agit pas de quotas. Seulement une quinzaine de femmes exercent la fonction d'ambassadeur, notamment à Cuba, en Afrique du Sud, en Croatie, mais leur nombre augmente vite. Nous favorisons aussi l'accès au ministère à des personnes issues de l'immigration. 7 % de la population néerlandaise est d'origine étrangère (Turquie, Maroc, Surinam). Des gens issus de toutes les catégories sociales deviennent diplomates grâce, entre autres, au système des bourses universitaires.

*La mondialisation a-t-elle eu un impact sur la pratique diplomatique néerlandaise ?*

Les Hollandais ont toujours été tournés vers le monde, notre posture n'est pas défensive. Nous ne réglons pas les problèmes au seul niveau gouvernemental mais associons traditionnellement les partenaires sociaux et les ONG à la gestion des problèmes de politique intérieure et de développement dans les pays pauvres. Nous adoptons progressivement les mêmes méthodes à la politique internationale, ce fut le cas dans la gestion du conflit dans les Balkans. Sans les ONG, on réalise peu de choses. On ne prendrait peut-être pas des gens d'Amnesty International au Quai ; nous le faisons. Chez vous, la tradition étatique prime. Nos grandes réponses à la mondialisation furent l'Europe, la libéralisation régulée des échanges commerciaux et la formation des diplomates dans une optique d'ouverture à la société civile.

Voilà huit ans, nous nous sommes interrogés sur ce que serait le rôle futur de la diplomatie néerlandaise dans une UE plus intégrée et élargie à de nouveaux membres. Aujourd'hui, les diplomates jouent un rôle prépondérant dans le « nouveau bilatéralisme néerlandais ». L'importance de l'ambassade, ici à Paris, s'est clairement accrue dernièrement à cause des tensions franco-néerlandaises et de la densité de l'agenda européen. 80 % de mes activités quotidiennes sont liées à des dossiers européens. Les ambassades aident à renforcer l'adhésion des Européens à l'idée d'intégration.

L'ambassade du futur sera un bâtiment adapté à des fonctions toujours plus sociétales. L'ambassade du futur sera tournée vers les acteurs sociétaux, économiques ou culturels. Ambassade et institut culturel néerlandais se rapprocheront encore et les diplomates seront plus qu'aujourd'hui des intermédiaires. Nous coopérons actuellement de manière étroite avec l'ambassade de France à La Haye sur un projet de Forum franco-néerlandais, visant à faciliter les échanges entre Français et Néerlandais, entre nos deux sociétés civiles.

*Les diplomates français sont-ils très différents des autres diplomates ?*

Ils ne sont pas diamétralement différents des diplomates néerlandais, mais il existe des particularismes. Ils sont très bien organisés, ultracompétents, bien coordonnés. Ils raisonnent de manière logique, cartésienne, et c'est leur force car ils sont très convaincants. C'est également leur faiblesse car ils ne sont pas très flexibles, ils admettent difficilement les points de vue alternatifs. Même quand ils se trompent, ils sont convaincants. Quand ils cèdent, ça n'est pas par reconnaissance de la valeur d'un raisonnement, mais parce que son auteur est puissant. La génération des moins de 50 ans est plus détendue que les précédentes mais leur tournure d'esprit est influencée par le moule de l'éducation dispensée dans les grandes écoles. Ils manquent de flexibilité, d'originalité. Qualités qui sont notre force, et aussi notre faiblesse.

*Avez-vous eu des expériences particulières de travail avec des diplomates français ?*

Oui et très variées. Mes relations de travail avec Gilles Andréani, ancien directeur du CAP, Jacques Audibert, conseiller diplomatique du ministre de la Défense, Jean Félix-Paganon, directeur des Nations unies, sont très bonnes. Ce sont des gens compétents, ouverts et convaincants. Inversement, un ancien directeur des affaires stratégiques s'est comporté de manière arrogante et méprisante envers les Pays-Bas. Il était toujours dans un rapport de force et excluait d'être en tort. J'ai aussi vécu des expériences houleuses avec la France au sujet des drogues. Le problème est quasi réglé sans que nous ayons cédé sur le fond.

*Quels sont selon vous les diplomates et les ministres des Affaires étrangères néerlandais qui ont marqué leur temps ?*

Joseph Luns s'est victorieusement opposé aux conceptions européennes de De Gaulle. Dans les années 1970, il a été secrétaire général de l'OTAN. Max van der Stoel, un social-démocrate qui a été ministre des Affaires étrangères dans les années 1970, ainsi que haut commissaire à l'OSCE pour les minorités nationales. Il a beaucoup contribué au maintien de la paix en Europe de l'Est à travers une diplomatie discrète. C'est le champion des droits de l'homme, il a fait la différence.

Il est beaucoup plus difficile de citer des noms de diplomates. Dirk Spierenburg a joué un grand rôle dans la construction européenne ainsi que Mom Wellenstein. Van der Stoel a joué un rôle en tant que diplomate, comme membre du Conseil de sécurité. En 1984, il a facilité le sauvetage d'Arafat au Liban, aux prises avec les armées syrienne et israélienne. Peter van Walsum, notre représentant à l'ONU, a contribué d'une manière importante à la résolution de la crise est-timorienne (1999).

*Quels sont selon vous les diplomates français qui ont le plus marqué leur temps ?*

Il y a Jacques Delors, excellent président de la Commission européenne, mais est-il vraiment un diplomate ? Il est difficile de citer des diplomates qui auraient vraiment fait une différence... François-Poncet, certainement, mais d'autres ?

*Quels sont les ministres français des Affaires étrangères qui ont le plus marqué la vie politique internationale ?*

Richelieu. Robert Schuman. Maurice Couve de Murville, mais il était ministre sous De Gaulle, qui était son propre ministre des Affaires étrangères. Politiquement, il est moins facile d'évaluer des contemporains comme Hervé de Charette et Hubert Védrine. Globalement, sous la V$^e$ République, les ministres ont joué un rôle limité parce que le président était extrêmement fort. Le ministre est plus important en cohabitation. J'avais oublié Aristide Briand, mais il fallait quand même le citer avec Stresemann.

*Comment décririez-vous, en quelques mots, le métier de diplomate à quelqu'un qui ne le connaît en rien ?*

Il s'agit de représenter un pays près d'autres pays ou dans des organisations internationales de manière à défendre et promouvoir les intérêts de son pays et faciliter la vie ensemble dans un monde qui est notre patrimoine commun.

**Propos recueillis par Lucile Desmoulins**

# « Prestigieux mais décalés » : des étudiants parlent des diplomates

Lucile Desmoulins

Comment les étudiants intéressés par les questions internationales perçoivent-ils le métier de diplomate ? Six d'entre eux, que nous avons réunis, ont aimablement accepté de répondre à cette question : Alix et Marie, étudiantes en DEA de relations internationales, respectivement à Sciences po et à l'université Paris-I ; Alexis, Jan, Sébastien et Thomas, qui ont préparé les concours administratifs (prép. ENA). Ils parlent très librement de la diversité des métiers de diplomate, de la mondialisation, du modèle culturel français. Une vision étonnamment bien renseignée. Un discours stimulant et instructif.

## De la splendeur passée aux défis contemporains

Termes apologétiques et critiques alternent. Les premiers sont an-crés dans le passé et ont un caractère « affectif », tandis que les seconds s'inscrivent dans le présent et sont le fruit d'analyses rationnelles ou d'observations directes. Pour ces étudiants, le Quai d'Orsay est tout à la fois une administration figée dans sa splendeur passée, inadaptée aux défis contemporains, et un débouché potentiellement intéressant, voire un objet de rêve, flou et insaisissable. Sébastien et Alexis sont séduits par « ce métier qui a du sens » et qui permet « de voyager, de rencontrer des gens de toutes cultures ». Ils appréhendent la carrière diplomatique comme un sacerdoce : il faut « être au service de principes comme les droits de l'homme, la démocratie, les intérêts nationaux », selon Alexis ; « J'ai réalisé à l'étranger à quel point j'étais français. J'ai un message à porter à l'étranger », énonce Thomas, avant de déplorer la perte d'influence des diplomates au profit d'acteurs économiques, sociétaux ou bien d'autres administrations. Jan est plus sceptique : « Si l'on veut représenter efficacement les intérêts de la France, il faut se tourner vers d'autres administrations. »

Bien que très enthousiaste, Alexis admet que « la diplomatie est un monde assez clos, où l'entre-soi est très développé ». De telles réticences, tous les expriment et jugent de surcroît la carrière diplomatique difficilement accessible, avant d'évoquer des choix de vie compliqués (aller-retour entre la France et l'étranger, gestion de carrière des conjoints).

## « Un corps au prestige réel mais érodé »

Les diplomates français incarneraient ensuite jusqu'à la caricature les qualités et les défauts généralement attribués aux Français : « Les ambassadeurs incarnent un art de vivre, l'intelligence, le brio culturel et une forme extrême d'arrogance. Mais dans quelle mesure les diplomates ne renforcent-ils pas ces clichés ? » (Thomas). Quant à la pratique des langues, le jugement porté sur les diplomates français est peu charitable. Les étudiants citent nommément nombre de diplomates incapables de s'exprimer en anglais.

Inversement, Alexis exprime bien le sentiment général en parlant de la « compétence indéniable » des diplomates français. Le Quai, en tant qu'administration, est souvent vilipendé, mais les hommes et les femmes qui le composent conservent une certaine aura : c'est l'élite de l'élite. La diplomatie est, en effet, l'une des affectations préférées des jeunes énarques, après la Cour des comptes ou le Conseil d'État. Jan met en évidence le revers de cette médaille, l'absence d'originalité : « Ils sont formés par des écoles censées incarner l'esprit français, c'est bien, mais elles jouent comme un moule. » « Nous avons une manière intéressante de structurer notre pensée mais nous pouvons parler de vingt livres sans les avoir lus », et Thomas de sous-entendre que ce travers est aussi celui des diplomates, brillants généralistes, volontiers phraseurs. En notant leur « entregent, leur capacité à meubler une conversation avec des références culturelles », Sébastien leur adresse un compliment empoisonné.

Plus percutante encore, Marie décrit l'impression que lui a laissée un ambassadeur en poste en Europe : « Un discours ronflant derrière lequel il n'y a pas grand-chose. Ces personnes ont été nourries de discours théoriques mais ne savent pas passer à la pratique. » Sébastien pointe « une insuffisante acculturation, un trop grand formalisme », mais il s'enthousiasme aussitôt pour « leur dynamisme, leur passion, leur polyvalence ».

Les étudiants perçoivent le Quai comme un microcosme homogène et vivant en vase clos. Alix décrit une organisation parcourue de conflits de chapelles et rongée par les ambitions personnelles : « C'est un milieu très fermé, avec un recrutement unique. La carrière personnelle, les ambitions vont se passer au sein même du Quai d'Orsay. » Le Quai est, dans l'esprit des étudiants, un bastion masculin. Une question sur les femmes dans la diplomatie suscite d'autres questions sur la réalité statistique : « Quelle est la proportion de femmes à l'ENA et au Quai ? Est-ce qu'on sait si les énarques femmes ont moins tendance à aller au Quai d'Orsay que les énarques hommes ? » Pour Alix, le problème se rattache à un phénomène sociologique global, la raréfaction des femmes dans l'ensemble des métiers à haute qualification. Enfin, Thomas parle de choix de vie et des problèmes d'éloignement : « On connaît plus d'exemples de couples où la femme accepte de sacrifier sa carrière pour l'homme que l'inverse. » Alix prolonge ce discours par une boutade : « Dur de trouver un homme potiche qui m'attendra le soir. »

### « Une administration décalée »

La mondialisation est, pour tous, le fait le plus marquant de l'évolution du métier de diplomate. Sébastien insiste sur l'idée que le métier est resté le même sur le fond mais admet « un déclin de la diplomatie, une diminution des marges d'action, une perte d'autorité du représentant de l'État, en parallèle à la dévaluation de son rôle par rapport à d'autres acteurs ». Pour tous, la mondialisation impose une modification des pratiques diplomatiques, car « l'État doit se tourner vers d'autres instruments de puissance » (Sébastien), et « le diplomate doit avoir aujourd'hui des contacts avec des acteurs très divers de la société, notamment les ONG. Auparavant, les diplomates étaient en relation uniquement avec les politiques et les personnes situées au sommet de la sphère économique » (Alix). Alexis associe la mondialisation à une activité diplomatique non plus seulement bilatérale mais multilatérale, et nécessairement dynamique au sein d'organisations internationales : « La présence de la France dans les organisations intergouvernementales économiques, dans les organisations satellites de l'ONU ne peut être négligée. La France doit être présente en termes de moyens humains dans les organisations internationales, sa présence budgétaire est en régression. »

Convaincus que la mondialisation « change les règles du jeu diplomatique », les étudiants regrettent que les diplomates français se soient prêtés avec réticence aux évolutions contemporaines, accusant ainsi un retard par rapport à certains de leurs homologues occidentaux : « À la Cour pénale internationale, la France ne fait pas partie des États pilotes qui ont intégré les ONG dans leur délégation. Elle les a intégrés par à-coups, contrainte et forcée » (Marie). Sébastien dénonce une politique extérieure française figée : « L'influence française ne tient plus à sa politique militaire. Elle devrait prendre modèle sur des puissances civiles comme le Japon et l'Allemagne, qui mènent des actions dans les domaines culturels ou économiques. » Enrichi d'une année d'étude dans une université allemande, il déplore le « retard français en matière de politique culturelle par rapport aux liens tissés entre l'Allemagne et tous les pays de l'ancienne sphère d'influence de l'URSS à travers des échanges universitaires, et des bourses d'étude qui ont une influence souterraine mais considérable ».

L'intrusion des ONG sur la scène internationale suscite de très nombreux commentaires. Ces dernières sont perçues comme des concurrentes des diplomates, révélatrices des carences de l'action gouvernementale. Marie illustre cette donnée par un exemple lié aux négociations de Rome dans le cadre de la Cour pénale internationale : « La délégation française a joué un tout petit rôle, elle a aidé les pays de la francophonie qui étaient complètement démunis face à des documents de préparation complexes en anglais, mais ce sont surtout les ONG qui ont apporté de la documentation en français, et aidé les délégations orphelines de directives de leurs gouvernements à travers un programme d'aide juridique des Nations unies. Qu'ont fait les diplomates français ? Peu, et c'est regrettable car les liens entre la délégation française et les représentants de la francophonie sont distendus. On a l'impression que les diplomates sont dépassés, qu'ils sont court-circuités, à moins que ce type d'action ne soit pas dans leur priorité. » Les tensions entre représentants des ONG et diplomates seraient l'expression d'une relation d'attirance-répulsion : « Ils se tirent les uns sur les autres mais ils ont besoin les uns des autres. Les ONG disposant d'une force de frappe et d'une logistique plus importante que certains États ont besoin de voir leur action légitimée par ces derniers, et les États ont besoin des ONG pour faire remonter toutes les informations » (Marie). Les ONG contraignent les États en modifiant leur agenda, « elles éveillent l'attention sur des problèmes dont la diplomatie traditionnelle ne s'occupe pas forcément, l'humanitaire ou les droits de l'homme », souligne Alix. Plus critique, Jan dénonce une démission des pouvoirs publics : « Les ONG s'occupent de problèmes écologiques, humanitaires ou sociaux, si elles fleurissent, c'est parce que la représentation traditionnelle n'assume plus son rôle. » Sébastien nuance cette vision antagoniste en réactualisant la théorie du sabre et du bouclier : « Les ONG prolongent l'action diplomatique, elles disent et font des choses que les diplomates ne peuvent pas se permettre sur la question des droits de l'homme en Chine. »

Concurrencés par les ONG, les diplomates le sont aussi par les fonctionnaires d'autres ministères. Selon Thomas, « en Afrique, je ne suis même pas sûr que l'ambassadeur soit le personnage le plus important. Il y a les militaires français, les gens de Total et ceux de l'Agence française de développement. Ça fait déjà trois pouvoirs ». Thomas encore parle de « diplomatie parallèle à Bercy, de diplomates contournés par les relations directes entre gouvernements au niveau européen à travers Bruxelles, mais aussi au niveau transatlantique par des actions directes entre le Treasury américain et le ministère des Finances français à Bercy ». Et en une formule percutante, il résume l'antagonisme Bercy-Quai : « Il n'y a guère que dans les représentations françaises à l'étranger que les conseillers financiers n'ont pas grand-chose à faire de l'ambassadeur. Le Quai d'Orsay essaie de récupérer la direction des relations économiques extérieures. Bonne chance. » Pour lui, « même quand l'ambassadeur est tenu parfaitement informé des négociations et qu'il arrange des rendez-vous, qu'il y assiste éventuellement, c'est souvent les directeurs d'administration centrale qui négocient ». D'expérience, Jan parle d'un vrai décalage entre le rôle concret des fonctionnaires de Bercy et le rôle plus honorifique des conseillers culturels, et Alix se dit atterrée par « la concurrence entre services. Ils ne se communiquent pas les informations. Ils ne coopèrent pas, et même plus, ils se mettent des bâtons dans les roues ». D'après Jan, une ambiguïté mérite d'être soulignée : « On demande beaucoup aux diplomates, et l'on confie des moyens d'actions à des administrations parallèles comme la Direction des relations économiques extérieures, l'Éducation nationale. »

## « Le diplomate, ce n'est pas seulement l'ambassadeur »

Tous les étudiants insistent sur le rôle pluriel des diplomates : économique, culturel et politique. Ils nourrissent une vision remarquablement bien renseignée et nuancée du rôle et des activités des diplomates, bien que l'administration du Quai soit feutrée et peu tournée vers l'extérieur. Thomas est attaché à une vision traditionnelle de la mission culturelle des ambassades, qui ont « un rôle de propagation de la culture française telle que les étrangers la rêvent. Ils mettent la France en scène à travers des manifestations culturelles ». Alix refuse de trancher entre l'économique et le culturel. Pour elle, « les diplomates entretiennent certains clichés culturels qui jouent en faveur de la France. Sur les questions économiques, par contre, ils essaient de renverser les clichés concernant l'archaïsme de la France en parlant du TGV, des hautes technologies ». Les étudiants ayant une double nationalité ou ayant étudié à l'étranger décrivent la force des lycées français, qui forment, selon Jan, « les enfants des diplomates de tous les pays ». Thomas déplore qu'après le lycée les élites étrangères quittent le système français et aillent dans les universités anglo-saxonnes. Sébastien est plus sévère : « On vit sur un acquis. Les étrangers nantis vont venir étudier en France parce que nous avons un patrimoine culturel mais la majorité des étudiants vont étudier dans des pays où il y a des accords d'échange et des bourses. »

L'analyse que font les étudiants des missions et des activités au sein des différents postes diplomatiques est elle aussi remarquablement différenciée. Alexis distingue la diplomatie de crise de la diplomatie au quotidien « en fonction des pays et des situations politiques locales. Il y aurait un métier de diplomate de crise, métier hautement politique, la diplomatie française au Liban, les relations entre la France et l'ex-Yougoslavie, les situations conflictuelles en Afrique, et un métier de diplomate du quotidien en dehors des crises ». Il affirme aussi que l'ambassade française joue « un rôle à part dans les ex-colonies d'Afrique de l'Ouest. La France est souvent la première conseillère stratégique des gouvernements en place, et ça passe par les ambassades ». Pour Sébastien, les relations avec les pays de l'Union européenne « appartiennent plus à la politique intérieure de la France. Les diplomates en sont réduits en Europe à un rôle de représentation, d'information ». Alix s'interroge sur l'organisation interne du Quai, la fragmentation des tâches et des services : « Le diplomate, ce n'est pas que l'ambassadeur, il y a les affaires politiques, le poste d'expansion économique, les affaires culturelles. Dans un pays en crise, le poste politique est plus important. Dans un pays en développement, les affaires économiques prévalent. Les affaires culturelles sont importantes dans les pays de la zone d'influence traditionnelle de la France. »

Le diplomate est une interface qui facilite les contacts, un homme de réseau. Alix décrit un ambassadeur jouant « un rôle clé dans les négociations au sens où il est le lien entre les institutions. Il prépare leurs rencontres, il sera là éventuellement pendant les discussions ». Thomas décrit aussi « un métier de relations. Il faut énormément de talent pour faire ça ». De même, pour Sébastien, « le rôle de coordinateur entre des interlocuteurs institutionnels reste important ». Selon Alix, le diplomate a un rôle d'information et d'analyse des données : « Le pouvoir central est à Paris. Peut-être que là où le diplomate a beaucoup de poids, c'est comme vecteur de remontée d'informations. C'est lui qui est sur place dans le pays, qui a un contact avec les personnalités, qui va pouvoir créer des réseaux, savoir ce que les gens pensent, en informer Paris et peser sur la décision qu'il sera chargé de représenter à l'étranger ensuite. » Alexis rejoint cette idée quand il met en évidence « un paradoxe : l'appareil diplomatique classique est court-circuité mais il reste un canal d'information important. Avec la multiplication des sources d'information non étatiques, on pressent une revalorisation de la fonction du diplomate en tant qu'expert de terrain, apte à analyser l'information recueillie dans le sens d'une action stratégique de la France sur place. Il ne s'agit pas seulement de circulation d'informations, ce qui se fait tous les jours *via* Internet, mais de production d'analyses qualitatives, de conseils ». L'un des thèmes de débats qui s'est fait jour concerne le rôle des diplomates en tant qu'acteurs ou modérateurs des rapports de force interétatiques. Sébastien défend les « diplomates comme vecteurs de régulation et de coopération face à ce qui serait sinon un chaos. Ils participent à la défense d'intérêts de puissances mais sont là pour éviter le déploiement de la force brute, ils sont là pour policer », tandis que Marie rappelle que les diplomates sont parfois dans le combat. Thomas argumente en ce sens : « Ils sont là pour prendre les coups. Quand la France a été la première à mettre l'embargo sur le bœuf britannique il y a quelques mois, l'ambassadeur s'en est pris ! Il est en prise directe avec la "violence politique". »

Beaucoup d'interventions témoignent du rôle nécessaire des diplomates dans la promotion du modèle culturel français par opposition au modèle américain. Une mission difficile, vu « l'absence de la France ; dans les grandes ONG internationales, beaucoup de postes sont trustés par des Américains » (Alexis). Thomas déplore le même phénomène au sein du FMI, où les gens « sont tous docteurs d'une grande université américaine de la côte Est formés au moule de la pensée économique *made in USA* ». L'intervention d'Alexis a des accents presque cocardiers : « Il y a un modèle français qui peut permettre de traiter les problèmes de développement dans le tiers-monde. La France a le souci du développement humain, de faire de l'État un partenaire du développement. Elle a un rôle à jouer et devrait faire entendre sa voix. » Alix lui fait écho : « Elle peut exercer efficacement des pressions car elle n'est pas seule. La candidature de Boutros Boutros-Ghali est un contre-exemple. » Sébastien vient aussi apporter son soutien à la France comme « acteur singulier et hétérodoxe sur la scène internationale. On l'a vu au moment de l'AMI. Ce qui permet de la considérer comme une grande puissance, c'est qu'elle incarne les droits de l'homme, et la tradition du rôle de l'État ».

Représentant d'une nation, défenseur de ses intérêts supérieurs, le diplomate n'en est pas moins accaparé au quotidien par des tâches prosaïques : « Trouver des solutions aux problèmes de visa, d'afflux de réfugiés », avance Alexis. « Il ne prend pas de décisions, il aide à organiser, il a des tâches disons... plus administratives », soupire Alix tandis que Jan rappelle que « les services des ambassades en Allemagne s'occupent des bureaux de vote, de tâches administratives d'état civil, pas des tâches proprement politiques ». Alexis parle d'une « diplomatie du quotidien derrière laquelle la dimension politique s'est effacée », et Jan d'« ambassadeurs réduits à être témoins de ce qui se passe sur place plutôt que vraiment acteurs ou décideurs. Ils ne font plus que de la représentation auprès des autorités locales, des patrons ».

Nos étudiants oscillent constamment entre une attirance pour la « vie rêvée » des diplomates, hommes et femmes de contact et de terrain chargés « de diffuser des valeurs françaises et de défendre les intérêts de la France », et la méfiance que leur inspire une carrière génératrice de frustrations : « Les moyens des diplomates sont très limités » et « Ils sont concurrencés de toutes parts », ce qui fait d'eux des « spectateurs ». Mais, finalement, les louanges priment les critiques, les étudiants se plaçant du côté de hauts fonctionnaires qui doivent encore réaliser de douloureux efforts d'adaptation afin d'accomplir des missions toujours plus variées.

**Lucile Desmoulins**

# BIOGRAPHIE DES AUTEURS

**Jacques Andréani,** Ambassadeur de France, a notamment été chef de la délégation française à la Conférence sur la sécurité et la coopération en Europe, à Helsinki et à Genève (1973-1975), directeur d'Europe (1975), ambassadeur en Égypte (1979), directeur des Affaires politiques (1981), ambassadeur en Italie (1984-1988), directeur de cabinet du ministre des Affaires étrangères (1988), enfin ambassadeur aux États-Unis (1989-1995). Il est l'auteur de L'*Amérique et nous*, Odile Jacob, 2000.

**Georges-Marie Chenu,** ministre plénipotentiaire hors cadre, a été notamment ambassadeur à Lomé (1985-1990), puis ambassadeur à Zagreb (1992-1994), coordonnateur de la présidence française pour Mostar (1995), observateur de l'OSCE pour les élections générales en Bosnie-Herzégovine (1998). Il a publié dans les revues *Politique étrangère*, *Études* et *Esprit*. Il est, depuis 1996, responsable du séminaire de géopolitique des Balkans au Collège interarmées de défense.

**Samy Cohen,** directeur de recherche au CERI (Centre d'études et de recherches internationales), a notamment publié : *De Gaulle, les gaullistes et Israël*, A. Moreau, 1974 ; *Les Conseillers du président : de Charles De Gaulle à Valéry Giscard d'Estaing*, PUF, 1980 ; *La Monarchie nucléaire : les coulisses de la politique étrangère sous la V*ᵉ *République*, Hachette Littérature, 1986 ; *La Défaite des généraux : le pouvoir politique et l'armée sous la V*ᵉ *République*, Fayard, 1994 ; *La Bombe atomique : la stratégie de l'épouvante*, Gallimard Découvertes, 1995 ; *Mitterrand et la sortie de la guerre froide* (dir.), PUF, 1998 ; il a notamment dirigé, en collaboration avec Marie-Claude Smouts, *La Politique extérieure de Valéry Giscard d'Estaing*, Presses de la FNSP, 1983. Il enseigne aux DEA de relations internationales de Sciences po et de l'université de Paris-I.

**Lucile Desmoulins** est ATER au CELSA, université de Paris IV-Panthéon-Sorbonne, et chercheuse associée à la Fondation pour la recherche stratégique. Elle prépare une thèse sur « L'influence des think tanks sur la décision de politique extérieure : analyse comparée (États-Unis, France, Royaume-Uni) ».

**Guillaume Devin,** professeur des universités à l'Institut d'études politiques de Paris et membre du Laboratoire d'analyse des systèmes politiques, CNRS – université Paris X-Nanterre. Il est notamment l'auteur de *Sociologie des relations internationales*, La Découverte, 2002 ; *La Construction de l'Europe*, en collaboration avec G. Courty, La Découverte, 2001 ; *L'Internationale socialiste. Histoire et sociologie du socialisme international*, Paris, Presses de la FNSP, 1993 ; *Syndicalisme : dimensions internationales*, Érasme, 1991.

**Michel Doucin,** diplomate, est secrétaire général du Haut Conseil de la coopération internationale, instance consultative créée en 1999, qui regroupe, auprès du Premier ministre, soixante personnalités issues des différentes composantes de la société civile française engagées dans l'action internationale. Il a été, notamment, chef de la mission de liaison auprès des organisations non gouvernementales au ministère des Affaires étrangères (1996-1999). Il est l'auteur du *Guide de la liberté associative dans le monde*, La Documentation française, 2000.

**François Heisbourg** est directeur de la Fondation pour la recherche stratégique. Il a été notamment conseiller technique au cabinet du ministre de la Défense (1981-1984), directeur général adjoint de Thomson International (1984-1987), directeur de l'International Institute for Strategic Studies (IISS), Londres (1987-1992), directeur du développement stratégique de Matra Défense-Espace (1992-1998), chargé d'une mission interministérielle d'analyse et de proposition sur l'enseignement et la recherche en relations internationales et affaires stratégiques et de défense (1999-2000). Il est l'auteur de plusieurs ouvrages dont *La Puce, les hommes et la bombe*, avec Pascal Boniface, Hachette, 1986 (prix Amiral Castex) ; *Les Volontaires de l'An 2000*, Balland, 1995 ; *L'Hyperterrorisme*, Odile Jacob, 2001. Il est, depuis 1998, professeur à l'Institut d'études politiques de Paris.

**Christian Graeff,** Ambassadeur de France, a été notamment ambassadeur en Libye (1982-1985), au Liban (1985-1987) et en République islamique d'Iran (1988-1991). Il a été membre du Conseil supérieur de la magistrature (1991-1998). Il est actuellement chercheur associé à l'IREMAM (Institut de recherche et d'études du monde arabe et musulman).

**Didier Leroy,** diplomate, a notamment servi en Afghanistan (1980-1984 et 1993-1997), aux États-Unis (1984-1986) et à Berlin (1990-1993), puis dans l'administration centrale à la Direction des Affaires stratégiques et du désarmement (1987-1988), à la Direction d'Asie et d'Océanie (1989-1990), puis à la Direction

des Affaires économiques et financières (1998-2001). Il a notamment traduit du persan des nouvelles de Spôjmaï Zariâb, *Ces murs qui nous écoutent*, L'Inventaire, 2000, et
*La Plaine de Caïn*, Éditions de l'Aube, 2001.

**François Scheer,** Ambassadeur de France, a notamment servi au Mo-
zambique (1976-1977) et en Algérie (1984-1986), et à deux reprises comme Représentant permanent auprès des Communautés européennes (1986-1988 et 1992-1993).
Il a dirigé les cabinets de Simone Veil, présidente du Parlement européen (1979-1981),
et de Claude Cheysson, ministre des Relations extérieures (1981-1984), puis occupé
le poste de secrétaire général du ministère des Affaires étrangères entre 1988 et 1992.
Il a été ambassadeur de France en RFA de 1993 à 1999.

**Hubert Védrine,** ministre des Affaires étrangères, est l'auteur de : *Les
Mondes de François Mitterrand*, Paris, Fayard, 1996 ; *Les Cartes de la France : à l'heure de la
mondialisation* (dialogue avec Dominique Moïsi), Paris, Fayard, 2000.

**Philippe Zeller,** directeur général de l'administration du ministère
des Affaires étrangères, a notamment été conseiller diplomatique du ministre de la
Recherche et de la Technologie, Hubert Curien (de 1988 à 1991), directeur du Développement et de la coopération scientifique, technique et éducative, puis, à partir
de 1993, directeur des Affaires financières et budgétaires au Quai d'Orsay. Préfet de
l'Ariège de 1997 à 2000, il a été ambassadeur délégué à l'Environnement (octobre
2000-août 2001).

# BIBLIOGRAPHIE

« L'action extérieure de l'État : la réforme de l'État en France », *Revue française d'administration publique*, janvier-mars 1996.

« Les Affaires étrangères », *Revue française d'administration publique*, janvier-mars 1994.

**Hervé Alphand,** *L'Étonnement d'être. Journal, 1939-1973*, Paris, Fayard, 1977.

**Jacques Baeyens,** *Étranges affaires étrangères*, Paris, Fayard, 1978.

**Jean Baillou,** *Les Affaires étrangères et le corps diplomatique*, Paris, CNRS, 1984.

**Jean du Boisberranger,** *Domaines et instruments de la politique étrangère française*, La Documentation française, 1976.

**Samy Cohen,** *La Monarchie nucléaire. Les coulisses de la politique étrangère sous la V$^e$ République*, Paris, Hachette, 1986 ; *Mitterrand et la sortie de la guerre froide* (dir.), Paris, PUF, 1998.

**Régis Debray,** *La Puissance et les Rêves*, Paris, Gallimard, 1984.

**Bernard Destremau,** *Quai d'Orsay : derrière la façade*, Paris, Plon, 1994.

**Jean Doise et Maurice Vaïsse,** *Diplomatie et outil militaire*, Paris, Imprimerie nationale, 1987.

**Jean-Baptiste Duroselle,** *La Politique étrangère de la France : la décadence. 1932-1939*, Paris, Seuil, coll. Points Histoire, 1983.

**Albert Du Roy,** *Domaine réservé : les coulisses de la diplomatie française*, Paris, Seuil, 2000.

**Alfred Grosser,** *La Quatrième République et sa politique extérieure*, Paris, A. Colin, 1972.

**Henri Froment-Meurice,** *Vu du Quai, 1945-1983*, Paris, Fayard, 1998.

**Keith Hamilton and Richard Langhorne,** *The Practice of Diplomacy : its Evolution, Theory and Administration*, London, Routledge, 1995.

**Marie-Christine Kessler,** *La Politique étrangère de la France : acteurs et processus*, Paris, Presses de Sciences po, 1998.

« La politique étrangère aujourd'hui », *Pouvoirs*, n° 88, 1999.

**René Massigli,** *La Comédie des erreurs*, Paris, Plon, 1978.

**Marcel Merle,** *La Politique étrangère*, Paris, PUF, 1984.

**Bernard de Montferrand,** *La France et l'étranger*, Paris, Albatros, 1987.

**Jean-Bernard Raimond,** *Le Quai d'Orsay à l'épreuve de la cohabitation*, Paris, Flammarion, 1989.

**François Seydoux de Clausonne,** *Le Métier de diplomate*, Paris, France Empire, 1980.

**Hubert Védrine,** *Les Mondes de François Mitterrand. À l'Élysée 1981-1995*, Paris, Fayard, 1996.

# TABLE DES MATIÈRES

Éditions Autrement - collection « Mutations »

Abonnements au 1er janvier 2002 : la collection « Mutations », complémentaire des collections « Monde »,
« Mémoires » et « Morales », est vendue à l'unité (120 F/18,29 € par ouvrage) ou par abonnement (France :
105 €/686 F ; étranger : 120 €/786 F) de 7 numéros par an. L'abonnement peut être souscrit auprès de votre libraire
ou directement à Autrement, Service abonnements, 17, rue du Louvre, 75001 Paris. Établir votre paiement (chèque
bancaire ou postal, mandat-lettre) à l'ordre de NEXSO (CCP Paris 1-198-50-C). Le montant de l'abonnement doit
être joint à la commande. Veuillez prévoir un délai d'un mois pour l'installation de votre abonnement, plus le délai
d'acheminement normal. Pour tout changement d'adresse, veuillez nous prévenir avant le 15 du mois et nous
joindre votre dernière étiquette d'envoi. Un nouvel abonnement débute avec le numéro du mois en cours. Vente
en librairie exclusivement. Diffusion : Éditions du Seuil.

Imprimé par Corlet, Imp. S.A., 14110 Condé-sur-Noireau, France. N° 56234.
Dépôt légal : 1er trimestre 2002. ISBN : 2-7467-0197-9. ISSN : 0751-0144.